SHI SHUO XIN YU 3
LIU YONG CHENGGONG MIJI

刘 墉 著

# 世说心语3

## 刘墉成功秘笈

接力出版社
Publishing House

桂图登字:20－2008－155

图书在版编目（CIP）数据

世说心语.3:刘墉成功秘笈／(美)刘墉著.—南宁：接力出版社，2009.2

ISBN 978-7-5448-0629-9

Ⅰ.世… Ⅱ.刘… Ⅲ.散文－作品集－美国－现代 Ⅳ.I712.65

中国版本图书馆CIP数据核字（2008）第200315号

责任编辑：朱娟娟

美术编辑：卢 强 责任校对：刘会乔

责任监印：刘 签 媒介主理：代 萍 常晓武

社长：黄 俭 总编辑：白 冰

出版发行：接力出版社

社址：广西南宁市园湖南路9号 邮编：530022

电话：0771-5863339（发行部） 010-65545240（发行部）

传真：0771-5863291（发行部） 010-65545210（发行部）

网址：http://www.jielibeijing.com http://www.jielibook.com

E-mail:jielipub@public.nn.gx.cn

经销：新华书店

印制：北京鑫丰华彩印有限公司

开本：890毫米×1240毫米 1/32

印张：6.5 字数：145千字

版次：2009年1月第1版 印次：2009年1月第1次印刷

印数：000 001—100 000册

定价：24.00元

# 目录

SUCCESS

# 前言

过去三十年，我出版过许多励志书，有以自己学生时代札记写成的《萤窗小语》，有以子女为对象写成的《超越自己》、《创造自己》、《跨一步就成功》、《做个快乐读书人》,还有陈述我个人人生观的《创造超越的人生》。这本《世说心语 3——刘墉成功秘笈》则是为配合香港凤凰卫视的《世说心语》节目,以励志为主题特别规划的。从人生三境、考试、交友、压力、早恋，到加强记忆力的方法、作文的技巧、天才的特质，乃至抽烟的问题、亲子的关系，都作了讨论。它不只是我教育子女经验的累积，更是多年与年轻朋友接触的感悟。因为在节目中，我是以普罗大众为对象，所以写得非常浅显，即使五六年级的学生也能了解。

教育是所有人的事。我衷心希望除了学生，做师长的也能浏览一下这本书。说不定有些新观念，能让大家眼睛一亮，甚至放下心头沉重的大石头。因为今天中国的许多教育问题，常因为操心过度造成；今天很多学子的痛苦，常因为把人生路看得太窄。愿这本书提出的不只是成功的方法，更是走向成功之路的心态。

人生以成功为目标，但要成功得快乐，自己快乐，家人快乐，并且带给更多人快乐！

# 第1篇 SUCCESS

## 生而有惑:超越才能成功

连山雀、黑猩猩都好学，我们人类当然更会学习。因为学习是生存的要件。要生存，要活得好，就得学。人类之所以为万物之灵，就因为我们有更强的学习力，更懂得超越自己。

我可以很肯定地说：每个生物到这世界上来，都要不断地超越。举个很简单的例子，植物要超越——不幸生在阴影里的植物，会想尽办法，往有光线的地方长。就算长在不错的环境，还是会想尽办法，譬如长出绒毛，让种子能随风飞到远方。再不然长出甜美的果实，吸引动物来吃，好把它的种子带到远处散布。还有些种子成熟的时候会爆开，啪的一下子，被弹射到远处。它们这样做是为什么？因为要繁衍、要超越，要超越原先生长的环境，要超越空间对它们的约束。

各种动物也在不断超越。我在纽约的家，后面是一片湖，湖里的大雁常来跟我玩，甚至跟着我在街上散步。奇怪的是，到了一定的时候，它们就要迁徙。它们如果留下来，我会喂好吃的饼干面包，还能提供地方给它们避寒，它们何必飞走呢？因为它们要超越。好像有个来自上天的声音，到时候，会对它们说：该走了，到你们的下一站去。于是，可能在某个深夜，空中传来雁唳，它们在黑夜里起航了，航向很远很远的地方。

谈到远航，人类才真爱远航。如果人们只因为看到远处的土地不错，搬过去，还没什么稀奇。但为什么世世代代的人类，要不断远航？很早以前，人们还不会建造大船，但是就算用芦苇编成船，我们的祖先也要航行到远方。大海是多么无情、多么不可测啊！是什么力量，使他们离妻别子，航向那不可知的远方？是不是因为好奇，天生有探险的欲望，想看看地平线和海平线的另一边，会是什么样子？

这种好奇、探险，要走出去，不以现况为满足，不以已知的为满足，要挑战环境、挑战自己，就是超越。也可以说每个人天生就要超越自己。

可不是吗？我们从精虫阶段，就拼命游泳，要超越别人，更别说诞生之后了。你以为刚生下的小奶娃没什么力量吗？喂娃娃吃母乳的妈妈一定都有感觉："天哪！这小家伙八成是饿死鬼投胎的，他吸得我直疼！"就算你是爸爸，白长了两个奶头，里面没奶，没办法喂你孩子，但当你给孩子洗澡的时候，也一定能感觉到。小鬼躺在洗澡盆里，因为紧张，他的两只手会乱抓，抓住澡盆的边或大人的手。那力量大极了！甚至让娃娃两只手抓住你的两根手指，然后你往上拉，小娃娃能跟着你的手指坐起来。对了！你还可以观察小动物，好多刚生下的小动物，譬如无尾熊、猕猴，会抓着妈妈的毛皮不放，就算妈妈在树上跳来跳去，小宝宝也不会掉下来，可见那些新生的小东西，手上的力量有多大。

人类更不用说了，娃娃每天都在超越自己。你不要他翻身，他也要翻身；你不要他坐起来，他也要坐；你不准他爬，他还是要爬；不准他站，他非站不可。而且，他站了之后还要往前踏出步子、学习走路。就算摔伤了，他还是非走不可。而且走不够，还要跑。这一切的一切，表示了什么？表示他不以原先的自己为满足，表示他要超越自己。超越自己是天性！你不准他超越，他还是非超越不可。

或许有人会说，那只是走跟跑，至于学习就不一定了，有些孩子天生好学，有些天生不好学。这么说的人又错了！孩子学说话，只是因为你教他叫爸爸、叫妈妈、叫爷爷奶奶，他才学会吗？你去看看那些没人管、没人教的孩子，就算学话慢一点，后来是不是也能说得很好？谁教他们了？没有人刻意教，是他们自己在学。

所以别以为小奶娃不懂事，他们其实总在看、在听、在学。他们甚至连走都不会，站还站不起来，就已经会算数了。有个实验：给小奶娃看五只小兔子，然后把小兔子藏进一个大盒子，先放出一只，小奶娃看看那只，跟着又转向大盒子，等下一只出现。下一只放出来，小奶娃还等，等第三只。直到第五只出现，小奶娃才不再盯着大盒子看。表示他们小归小，心里可有数。

或许有人要讲，等到上学就不一样了，有些孩子天生爱念书，有些天生不好学。这也错了！不信您找《夏山学校》(Summerhill)这本书来看看。英国教育家尼尔（A.S. Neill）在上世纪二十年代，把一群孩子放在夏山学校里，给孩子非常大的自由。孩子可以待在教室里上课，也可以出去玩，没人管，没人骂。起初好多顽皮孩子都溜出去了(不！应该说不是溜，是大摇大摆走出教室)，但渐渐地，孩子又纷纷回到教室。

为什么回来？因为他们要学习。因为学习是生物的天性。我在《世说心语 2——刘墉教育秘笈》里提过，英国的蓝山雀这种鸟，会学习开奶瓶，而且一只教一只。不久前还有生物学家拍到黑猩猩拿着树枝渡河的照片，它们居然用树枝试探水深。据生物学家猜，那黑猩猩可能是跟人类学到的。

连山雀、黑猩猩都好学，我们人类当然更会学习。因为学习是生存的要件。要生存，要活得好，就得学。人类之所以为万物之灵，就因为我们有更强的学习力，更懂得超越自己。

## SUCCESS 第2篇

## 年轻人为什么该吃苦(一)

这个时代跟上个时代不同，甚至应该说今天跟过去人类经历的千万年都大大不一样了。上一代不能因为自己曾经挨过饿、吃过苦、逃过难，就非要求自己的孩子也受那样的罪。

年轻人为什么该吃苦？相信这是许多年轻朋友常想的一件事。最起码，总有年轻朋友问我这个问题，尤其那些生长在富裕家庭的。他们会说："我爸我妈教我辛苦读书，说这样将来才能有钱，住漂亮的大房子。可是，我爸我妈只有我这一个孩子，他们又口口声声说将来他们的钱和房子都是我的，这不是够了吗？大不了他们省着点花，多留给我一点，何必逼我去吃苦呢？"

我在美国的华人朋友，甚至会为孩子小时候该不该吃苦辩论。有人引述古人的话——"天将降大任于斯人也，必先苦其心志，劳其筋骨，饿其体肤，空乏其身，行拂乱其所为，所以动心忍性，增益其所不能。"认为孩子应该劳其筋骨、饿其体肤。另一派则认为过去的食粮不足，生活艰难，比较有可能遭遇这种苦日子。但是今天，资源充足，交通便捷，政府又有效率，甚至世界各国会彼此支持，孩子一辈子也不会挨饿。难道做父母的还非让他们挨饿受冻吗？搞不好，饿出胃病，冻得重感冒呢！

我自己也为孩子小时候该不该吃苦，有过一番矛盾。记得当我儿子小时候，有一天我种菜施肥，要他帮忙。他大概嫌做肥料的牛粪臭，伸着两根指头拿东西，唯恐把手弄脏了。我当时火大极了，说："'四体不勤，五谷不辨'，长大怎么可能有成？"接着就把牛粪和稀泥和在一块儿，命令儿子把两只手插在里面。

可是后来我检讨：自己那样做，是不是错了？今天我要求孩子四体要勤，没错！但是还一定得"辨别五谷"吗？如果他不务农，从事的是工业科技，他不能辨别五谷又如何？只怕"五谷不辨"那句话得改成"计算机不通"。照这么说，反而是我这个对计算机不灵光的人，难有成就了。

最后我得出结论，就是，这个时代跟上个时代不同，甚至应该说今天跟过去人类经历的千万年都大大不一样了。上一代不能因为自己曾经挨过饿、吃过苦、逃过难，就非要求自己的孩子也受那样的罪。

只是，不吃那些苦，并不代表年轻人不必吃苦。而应该说，新时代的新人类，要吃新时代的苦。今天要学习的东西比古人多，因为不再只是读圣贤诗书，而是有一辈子读不完的书；今天要面对的挑战也比古人大，因为不再只是科举考试，而是有一辈子考不完的试。

提到考试，相信这是学生们最痛恨的。我小时候也一样，当时听说台湾最棒的一所中学，有个学生到了高三，突然宣布拒绝高考(他甚至因此得到了个称号——"拒绝联考的小子")，我真是佩服极了。我一向功课很不怎么样，从高二就骂台湾的联考制度。还在校刊发表过一篇文章，题目是《总有一天我要站在彩虹上》，在文章里，我以很狂的语气说："……我要写诗，我要作画，我要的是什么都不在乎，像你们吗？像 XYZ 吗？像煎干的灵魂吗？凡我将来不需要的，滚他的蛋！你去眷恋那路旁的小草花吧！在路上你可以装扮得非常漂亮，但是你可别走过在那远处属于我的大玫瑰园哟！那会令你脸红的！”

怎么样？够狂吧？文章发表，不但同学骂，连我毕业之后，还有人见到我就骂。问题是，我真拒绝高考了吗？我没有！在高考前的一个半月，我突然发现那是我无法不面对的挑战，于是开始狠狠地 K 书。大概因为用脑过度，虽然上床睡觉的时候已经是深夜，却没办法睡着，不得不吃安眠药。起初吃四分之一颗，后来吃半颗、四分之三颗、一颗，最后吃到一颗半。安眠药的说明讲，吃了之后不能立刻睡，必须等药效发作再躺下，我就坐在那儿等，只觉渐渐天摇地动，桌子都好像船似的要漂走了。躺上床，更是天旋地转。问题是等一下不旋转了，只有翻身的时候，又是一阵眩晕。眩晕完，又很清醒。

相信很多朋友都有失眠的经历，尤其当第二天要上班、上课，前一夜失眠，真是心慌，而且愈心慌愈睡不着。我那时候，隔一下点亮灯看看，三点了；再隔一阵，再看看，四点了！急得满身大汗，用棉被把头包起来，心想，缺氧就能睡着了，可是还睡不着。我甚至狠狠打自己的头，心想，打晕就睡着了，可是还睡不着。窗外微微亮了，小鸟开始叫，我气得真想飞出去把小鸟都掐死：“你们那么早起来吵什么啊？”这时候，我母亲起来了，发现我还醒着，急了，说：“考什么大学？别考了！别考了！考不上又怎么样？不上大学又怎么样？命重要！不要念了！”

她的这番话让我想起大概小学三四年级的时候，有一天她带我去医院看一位病危的老奶奶。老奶奶把我叫到床边，用冰冷的手拉着我说：“刘墉啊！干吗用功啊？人生何必呢？好疼啊！”

我不懂老奶奶的意思，才出医院就问我妈：“为什么那老奶奶说不必用功、好疼啊?”当时我妈妈没答，啪！给我一巴掌：“别听她的，回去好好用功！”( 这下子,我懂了,真是好疼啊！)

我也记得小时候有一回不好好做功课，我母亲把我的作业本儿抓过去，刷！刷！刷！刷！撕成一堆碎片，一边撕一边骂：“不要念了！不要念了!”

问题是，我高考前失眠，母亲说的“不要念了”，跟以前我小时候她说的“不要念了”，为什么感觉上有那么大的不同？

她叫我别念了，我是不是就不念了？连我妈都说我可以不用考了，我还要不要考？为什么年轻人一定要吃苦？

## 年轻人为什么该吃苦(二)

我是“骆驼”，将成为“狮子”，就算每个人叫我不必努力、不必冲，我也要努力、要拼命！

我至今保存着一本书，它是我初中二年级的时候买的，算来到现在已经有四十六年了。封面都掉了，纸不但黄，而且变成咖啡色，一翻就要碎了。但我一直保存着它、带着它，因为它是对我影响最深的书，而且由我十三岁，影响到今天。

我初中的时候，台北的交通还很不方便，虽然学校离家并不太远，还是得坐两班车才能到。转车的地方是书店街，我也总去逛书店。我没钱，很少看架子上的新书，多半在书店门口翻那些脏了破了或卖不掉的“风渍书”。除了便宜，那些堆成小山似的风渍书还有个好处，就是我可以把手往下伸，用触感找书，如果摸到书边整整齐齐，抽出来很可能还挺新，真是价廉物美，好像摸彩中奖了。

有一天，我又往底下摸，摸到这本，封面印了个大胡子，书名是《苏鲁支语录》，作者是尼采，不知何方神圣。翻开来看里面，好像诗，一句一句读得通，却看不懂。再查价钱，便宜极了！想必没人要。愈没人要我愈好奇，就买了回来。

虽然这本又叫《查拉图斯特拉如是说》的书写得挺深，但我那时候记忆好，居然背下不少。像尼采说："人生是污秽的川流，要想容纳这川流，而不失其洁净，人必须成为大海。"又像是"人是一根绳索，架于禽兽与超人之间，下面是无底的深渊，那是危险的过渡，危险的征途，危险的回顾，危险的战栗与停止"。更有意思的是书里说："你们由爬虫进化到人类，你们里面许多地方还有爬虫。有个时期你们是猿猴，但是今天人模拟任何猿猴还是猿猴。"

至于书里对我最有启发的，是尼采说："人们哪！我教你们精神的三变，精神如何变成骆驼，骆驼如何化为狮子，狮子又怎样变成婴儿。"尤其当我高中看了王国维《人间词话》里说的"人生三境"之后，对比之下更有了很大的领悟。

相信许多人都知道"人生三境"。王国维说："古今之成大学问大事业者，必须经过三种境界。"然后他引用古人的词句，形容那三个阶段，第一个阶段是：昨夜西风凋碧树，独上高楼，望尽天涯路。第二个阶段是：衣带渐宽终不悔，为伊消得人憔悴。第三个阶段是：众里寻他千百度，蓦然回首，那人却在灯火阑珊处。

我当时想，尼采的"精神三变"和王国维的"人生三境"不是很像吗？第一境，西风一下子把树叶全凋零了，一个人孤孤单单地走上高楼，望向远方的天涯路，不是好像可怜的骆驼，走向一望无垠的沙漠吗？然后我想，人生的什么阶段是骆驼？会不会正是自己的那个年岁，一堆作业、一串考试，好大压力。每天苦读的孩子都是骆驼，都是面对一片萧条，没人帮得上忙，只能独上高楼、望尽天涯路的可怜虫。

还有尼采说的“狮子”，不是人生的第二境吗？想想！狮子多强壮啊！想必那些经过一番辛苦，终于突破万难、闯出一片天下的人，都像狮子。也都像王国维形容的“衣带渐宽终不悔，为伊消得人憔悴”。可不是吗？如果我考上大学，就神了，我要搞社团、交女友，正是“衣带渐宽终不悔”。就算不为女朋友“消得人憔悴”，也要为事业拼搏，有一番成就。只有这样，前面的辛苦才不会白费！

至于尼采说的“婴儿”阶段，不是王国维讲的“众里寻他千百度，蓦然回首，那人却在灯火阑珊处”吗？当一个人风尘仆仆几十年，渐渐老了，消磨了年轻时的锐气和火气，觉得是非成败转头空，蓦然回首，才发现人生不过如此，道不远人，就在身边。

我把这“精神三变”和“人生三境”想了又想，还找了《哲学概论》之类的书看。知道我们每个人的一生都在追求进步、努力精进，好比学佛的人希望经过不断轮回，最后成佛。这跟尼采说“人生是污秽的川流，要想容纳这川流，而不失其洁净，人必须成为大海”是一样的道理。

进一步想，尼采说“人是一根绳索，架于禽兽与超人之间”，其意思是我们由爬虫进化到猿猴，由猿猴进化到人类，世世代代不断努力，就好像由禽兽的这一侧走向超人的那一侧。这当中只要稍稍放松，天生的弱点和人性的丑陋就会呈现。这跟基督教讲的原罪不是又有些相通吗？

正因如此，当我高三接近高考，辛苦得不得了，甚至母亲都不忍，叫我不要拼命了的时候，我没听她的话，坚持拼下去。因为我知道“骆驼”和“独上高楼，望尽天涯路”的阶段是人生必须经过的。读书不是为了别人，是为自己。骆驼当然要走向沙漠的下一站，年轻人当然要奔向人生的战场。

我那时也想，以前母亲逼我读书，当我不用功，她会打我骂我、撕我本子，为什么我真要高考了，她反而不再要求我，甚至拉着我，叫我撤退？

我想通了，因为我小时候，她还年轻，她自己在人生的“狮子”阶段，年轻的爸爸妈妈，多半都是“狮子”，比较会逼孩子。相对的，我考大学的时候，老母已经六十岁，她一天天老去，一天天缩小，看着儿子一天天强壮，眼看要飞了，反而想把孩子抓住。老小孩儿！老小孩儿！她成了婴儿，到了蓦然回首、是非成败转头空的境界，当然不会再要求我。

但我是“骆驼”，将成为“狮子”，就算每个人叫我不必努力、不必冲，我也要努力、要拼命！因为年轻人该吃苦！不是别人叫我吃苦，是我自己应该吃苦，否则，我就枉做年轻人，白来了这个世界！

## 第4篇 SUCCESS

### 年轻人为什么该吃苦(三)

正因为年轻，所以我们要把握这冲力，把握这浪漫，多看多学，以不辜负上天赐给我们的青春。

我二十八岁时，曾有画作，画的是王维的《送别》诗意——“下马饮君酒，问君何所之。君言不得意，归卧南山陲。但去莫复闻，白云无尽时。”我很喜欢这首诗，在美国大学教书的时候，还特别翻译给学生做教材。

但是你知道吗？居然有美国学生的家长，为了这首诗来找我，抗议我教他孩子年纪轻轻就有遁世的想法。我后来想，可不是吗？中国人从小到大，确实念的好多文章诗词，都是消极隐退的，例如：“行到水穷处，坐看云起时。”“人生在世不称意，明朝散发弄扁舟。”“吴中张翰称达生，秋风忽忆江东行。”“只应守寂寞，还掩故园扉。”单单《唐诗三百首》里，就有多少隐退的句子？甚至连孔子都要说：“邦有道则仕，邦无道则隐。”“道不行，乘桴浮于海。”好像辞官回家、归隐田园，可以显示文人的高格调。

问题是，背这些东西的年轻人不是正应该像骆驼一样忍受辛苦、努力拼搏，或是像狮子一样向前冲刺，开创事业吗？一个人如果年纪轻轻就有消极遁世的想法，遇事退缩，与世无争，对吗？中国历代的年轻人，会不会因为读多了这种作品，使他们的活力、冲力和创造力都受到影响？

记得我十几年前，有一次回台湾，在电视上看见记者访问几位名校研究所毕业的年轻人。他们没有投入忙碌的职场，反而选择在台湾东部的花莲山上，盖几间简单的房子，种菜，养些牲口，过起隐居的日子。有记者问："你们念这么多书，不觉得太冤了吗？"其中一个年轻人笑道："这有什么？你看历史上多少名人，中年辞官隐居？现在又有多少有钱人，想尽办法找山涯水滨盖别墅，认为住在这种地方才是真正的享受。人生苦短，何必绕那么大圈子？我们是早早看破，直接到达他们人生理想的阶段啊！"

我不能说他的话有错，因为每个人有自己的人生观，他们不想如尼采说的"精神三变"，经过"骆驼"、"狮子"，才到达"婴儿"的境界，也不想照王国维说的"人生三境"，由"西风凋碧树"、"衣带渐宽终不悔"，到"蓦然回首"，那是他们的自由、他们的选择。

我自己也曾经想人生何必争，为什么不平平淡淡过一生？直到有一天看到了一个埃及古老的寓言故事，终于找到了答案。

故事是这样的：有个开罗人，一天到晚想发财。日有所思，夜有所梦，有一夜，他梦见从水里冒出一个人，浑身湿淋淋的，张嘴吐出一个金币，对开罗人说："你想发财吗？"

开罗人急着说："我当然想发财！"

"想发财，你就得去伊斯法罕。"

开罗人大叫："天哪！伊斯法罕远在波斯啊，路太远，太危险了！"

"不去，你就发不了财！"说完那人就不见了。

千山万水我独行，开罗人千里跋涉，历经了许多艰难险阻，终于风尘仆仆地到了"山巅之城"——伊斯法罕。天哪！伊斯法罕不但穷困，而且正闹土匪，开罗人随身带的一点值钱的东西都被土匪抢走了。当地的警卫总算把土匪赶跑，发现奄奄一息的开罗人。"你好像不是本地人。"警卫队长说。

"我从开罗来。"

"什么？开罗？你从那么远、那么有钱的城市，到我们这鸟不生蛋的伊斯法罕来干什么？"

"因为我梦见神对我启示，到这里来可以找到金银财宝。"

警卫队长大笑了起来："你得了吧！我还常做梦，梦见我在开罗有个房子，后面有七棵无花果树和一个太阳钟，旁边还有个水池，池底下藏了好多金币呢！真是痴人说梦，快滚回你的开罗吧！"

开罗人衣衫褴褛，一无所有地回到开罗，邻居看他的可怜相，都笑他疯了。但是，回家没几天，他成为开罗最有钱的人。

因为他在他家的水池底下，挖出成千上万的金币。

开罗人有没有白去伊斯法罕这一遭？当然没有！虽然金币就在他自己家里，但是他不去，就不会知道。没有春发、夏荣，怎么会有秋天的丰收？没有那一生的奔波、历练，怎么会得到生命的启示？如果没有警卫队长的一番话，开罗人又如何知道金银财宝居然就在自己的后院？

不错！"众里寻他千百度，蓦然回首，那人却在灯火阑珊处。"有一天，我们可能发现人生不过如此，甚至觉得这一生所追逐的不过是虚幻。只是，能悟到虚幻，就是一种实在。你不寻找，怎么找到？你不困惑，如何顿悟？

正因为年轻，所以我们要把握这冲力，把握这浪漫，多看多学，以不辜负上天赐给我们的青春。我们要做“骆驼”，超越与生俱来的惰性，忍着不吃、不睡、不懈怠，向着自己的目标迈进。也就因为我们到达了目标，所以要做“狮子”，在历史上留下属于我们的脚印，创造属于我们这一代的东西。

对了，我儿子最近看了一部电影，正好我也打算去看，就问他好不好看。他说：“难看死了！千万别去！”我说：“好！那么让我去看看到底有多难看。”

这就是人生。没有人能替代！就算辛苦，也得自己去品尝。

# 第5篇 SUCCESS

## 超越恋母情结

一个人不论多强，里面都藏着一个小孩的心灵，都可能在最紧急和痛苦的时候，不由自主地喊："妈啊！"为了让自己超越这与生俱来的恋母情结，我们必须迎向外面的世界，接受挑战。

人生有许多必须超越的东西，首先要超越的是"与生俱来的恋母情结"。

各位乍一看，可能吓一跳，心想这个世界有几个人恋母啊！但是我必须说：我们每个人从小到大，甚至到老，都有着潜在的恋母情结。也可以讲，我们从一出生，就在"躲在妈妈怀里不长大"和"脱离妈妈出去独立"这两者之间挣扎。是啊！妈妈的怀抱多温暖！有安全感、有保护，还有奶可以吸。外面多辛苦啊！要自己闯、自己拼、自己冒险！

所幸那走向独立的力量大些，使多数的孩子都能脱离父母成家，自己成为父亲、母亲，照顾下一代，人类才能进步，生命才能繁衍。

尽管如此，恋母的心理还总是在我们一生中不断浮现。举个例子，很多人早上起不来床，甚至该上班了，还缩在被窝里，不想面对外界。好像一个小娃娃，想躲回妈妈的肚子里。我甚至听学生说过，如果早知道世界上有这么多麻烦，一定会躲在妈妈的肚子里，拒绝被生出来。这种想法就有着恋母的成分。

还有，就算你在家里没见过，在电影里也可能看过，有些大男人，会偎在老婆的怀里。他是大男人哦！在外面可能雄奇跋扈，但是回到家，却可能要老婆搂着，即使搂那么一下，他也会觉得舒服得多。那时候，太太就担任了某种妈妈的角色。

何止人类恋母啊！其他动物也恋母。有位美丽的英国女孩，二十多岁居然跑到非洲的坦桑尼亚森林里，花了好多年的时间研究黑猩猩。她就是著名的生物学家珍古德（Jane Goodall）。

当年珍古德观察许多黑猩猩家族，甚至用拍电影的方式记录它们的生活，从而有了惊人的发现。譬如早先大家认为只有人类会用工具，但是珍古德拍到黑猩猩会找长长的草茎，伸到白蚁的窝里，然后拉出来，吃爬在上面的白蚁。当黑猩猩喝不到洞里的水，会用干草塞进去，泡湿了，再拉出来挤水喝。让我印象最深刻的是，珍古德拍一个黑猩猩家庭的纪录片——

小黑猩猩诞生了，妈妈好像人类一样天天抱在怀里，呵护、疼爱、哺育。小黑猩猩渐渐长大了，还是寸步不离地拉着妈妈的手，甚至爸爸妈妈坐在树上，小黑猩猩会往中间硬挤，当“电灯泡”。但是有一天妈妈生病了，走到水边喝水，竟然倒在河边死了。小黑猩猩过来找妈妈，妈妈没有反应，只见小黑猩猩拉着妈妈的尸体又跳又叫，后来竟然几天不吃不喝，也倒在珍古德的镜头前面。

这画面不是正说中了德国大哲学家尼采讲的，我们由爬虫进化到猿猴，由猿猴进化到人类，但是我们里面仍然有着猿猴吗？在猿猴的身上，看到了人性的弱点；在我们的身上，也能见到猿猴，包括猿猴恋母的表现。

不只猿猴，大概多半的动物都会黏着妈妈，小鹿、小马、小象虽然生下就会走，也要追着妈妈。小海獭在水里会贴着妈妈游，小鸡会躲在妈妈的翅膀底下。但是无论它们怎么恋母，它们的妈妈多么疼爱自己的宝宝，都有一种与生俱来的本能，让那些妈妈知道什么时候把孩子推出去独立。我就曾经观察窗外的小鸟，麻雀妈妈带着刚会飞的小麻雀，到我的喂食器吃东西。起先小麻雀都站在树枝上不动，等着妈妈来喂。渐渐地小麻雀长大了，长得跟妈妈差不多一样了，却还是在枝头上拍着翅膀、张着嘴大声叫，要妈妈喂。但是妈妈知道孩子大了，不能再喂，自顾自地到我的喂食器里吃东西。这时候小麻雀会飞到妈妈身边，还要妈妈喂，起初妈妈勉强喂两口，但是再过两天，如果小麻雀还追到妈妈身边，麻雀妈妈会转过头，狠狠啄小麻雀，把孩子赶走。

连小鸟都懂得逼孩子独立，人能不懂吗？从父母的角度，不能总把孩子当小娃娃待，你要让他做主，让他独立，让他负责任，放他走出去。从孩子的角度，就算你的爸爸妈妈宠你，亦步亦趋地带你长大，甚至永远把你当小孩子，什么事都要帮你做主，似乎不希望你长大，你也应该知道：人必须独立！

各位年轻朋友，你们先别读到这儿就转头对父母说："看吧！刘老师说我们可以自己做主。"当你这样说的时候，要先想想，你是不是真独立了，还是只独立了一部分。

很简单！你早上起得来床吗？你会不会前一天晚上拨闹钟，一边上，一边自己对自己说，我不必妈妈叫，闹钟响，我自己会起来，但是才过了几个钟头，闹钟响了，你却把闹钟按下去，继续睡。甚至爸爸妈妈来叫你，你还要哼哼唧唧地蒙着头，不高兴。再不然，你就算起来了，却坐在那儿发愣，或是有“起床气”，好像全家都欠你的。你想想，独立的人能这样吗？如果你出去打仗，半夜枪响，敌人打进来了，还由得你发愣、赖床吗？

记得二十多年前有个美国电影《收播新闻》，里面演一个电视台的强人女导播。出去报道内战的新闻，子弹嗖嗖地在耳边飞，连摄影记者都蹲在地上，她却一点也不怕地站着。但是电影里有个画面，是她早上出门前，突然坐下来，蒙着脸哭！只是一下，接着把眼泪擦干，提起皮包，昂头挺胸地冲出去。可以说，这位女导播在前一刻表现的是恋母的退缩，后一刻表现的是独立和勇往直前。每个人可能一生都在这两者间拔河。

一个人不论多强，里面都藏着一个小孩的心灵，都可能在最紧急和痛苦的时候，不由自主地喊：“妈啊！”为了让自己超越这与生俱来的恋母情结，我们必须迎向外面的世界，接受挑战。为了让孩子超越恋母情结，父母要常常把孩子推出去，让他们长大。

尼采说得好——“不是牧者，就是羊群。”我要说：“不是男人，就是男孩。”

# 第6篇

## 超越空间的藩篱（一）

请看看你自己和你四周的人，是不是也可能半辈子、一辈子，都没离开过你那个城市。甚至你小时候住在东区，到大了、到老了，四周全建起高楼，跟以前完全不一样了，你还是留在东区。

相信大家都看过非洲野生动物的影片，狮子在烈日当空的时候睡大觉，到了下午，可能肚子饿，也凉快一点了，才出动狩猎，放低姿势，一步步悄悄地穿过草丛……这时候镜头拉开，只见草原里成千上万的斑马正在低头吃草，发现狮子，斑马开始奔逃，真是万马奔腾，烟尘飞扬。狮子对准其中一个目标追，电影的镜头往前推，就见两个飞快的身影。狮子终于追上了，镜头换成大特写，血淋淋的画面，狮子吃完，土狼吃，土狼吃完兀鹰吃，最后剩下一堆枯骨。这时候镜头重新拉开，成为大远景，只见草原中成千上万的斑马，在和煦的夕阳和习习的晚风中，又安详地低着头吃草了。

这时候你会不会想，那些斑马们明明知道有狮子，明天还会来猎杀，它们为什么不躲到别的地方呢？

可是从斑马的角度，它们会不会想："对！明天狮子还会来吃我们，但是它可能从东边来，而我在西边。就算它来西边，我跑得比较快。就算我跑不快，还有生病的、年老的，跑得比我慢。我总不会那么倒霉吧！”所以斑马还是留在那儿，苟且偷生。

人类不也差不多吗？想想爱斯基摩人，他们为什么世世代代留在冰天雪地的阿拉斯加？他们可以往南走啊！就算一天走不到，一个月走不到，一年两年三年，总会走到比较温暖的地方。没错！许多人走了，甚至迁移到中美、南美，但是为什么还有那么多人，世世代代留了下来？

你要笑他们笨吗？请看看你自己和你四周的人，是不是也可能半辈子、一辈子，都没离开过你那个城市。甚至你小时候住在东区，到大了、到老了，四周全建起高楼，跟以前完全不一样了，你还是留在东区。

为什么？因为习惯了，因为恋旧，因为一动不如一静，因为懒得跑。如此说来，你跟爱斯基摩人或那些斑马又有多大的不同呢？

我在少年时读过一首诗，题目是《边界酒店》。内容都忘了，只记得其中一句——“跨一步便成乡愁”。我常想那边界酒店，如果正好盖在边界线，可能有张桌子，半边在这个国家，半边在那个国家。于是我由这张椅子，移到对面那张椅子，就出了国，就有了乡愁！只是，我也想，可能很多人一辈子就连那么一步都跨不出去。

美国人早在探索火星，中国人也计划登月了。可能好多人想，地球多好啊！还有不少空地，何必往别的星球探索？但是地球、月亮和火星，与浩瀚的宇宙比起来，说不定也像那个边界酒店，只是小小一步。如同美国航天员阿姆斯特朗踏上月球时说的“我的一小步，人类的一大步”。是因为科学家有远见，才能早早往外探索，为人类的未来跨出一般人难以了解的一步又一步，也为我们的子子孙孙找到更宽广的天地。

我有位同学，大学毕业之后因为找不到工作，只好为货运公司押车，每天清晨从台湾北部的基隆港跟着大货车一路开到最南端的高雄。有一天早晨，他关上车门，发现一只苍蝇在里面。他心想：好！我不放你出去，也不把你打死，我就把你关到高雄。只见那只大苍蝇一路撞来撞去，撞晕了，停住休息，再飞、再撞。当我这位同学到达高雄，把车门打开，苍蝇终于飞了出去。

你相信吗？那只苍蝇居然给我同学很大的启示。他对我说："你想想，那苍蝇有什么本事早上在基隆，傍晚就到了高雄。不是因为它能力强、会飞，而是因为上对了车。"接着我这同学就猛K英文、西班牙文，去了中南美，没几年，衣锦还乡，成为很大的国际贸易商。

再说个故事，我三小姨子的丈夫，也就是我的"连襟"，是荷兰人，曾经做外商银行驻北京的首席代表。有一天我开他玩笑，说："你们荷兰可真小啊！跟中国的台湾岛差不多吧！还抢了不少海里的土地，幸亏有堤防，不然地球暖化，早淹掉一大半了。"你猜他怎么答？他一笑说："荷兰一点也不小，大西洋是我们的前院，整个欧洲是我们的后院，我们多少年前就到过台湾，比你家早太多了。"后来我才了解，他们荷兰人从小就被教育，以世界为自己未来发展的地方。

美国人何尝不如此呢？我在《肯定自己》这本书里提过，我儿子小学时候，有一天回来愁眉苦脸，我问他为什么，他说学校考试平常他都会答，那天却不会。我拿过题目看，果然出得奇怪，譬如问："如果非洲码头大罢工、加拿大森林失火，会对你们有什么影响？"我也不会答，只好去问学校老师。老师说那是纽约政府交下来的题目，很有弹性，譬如孩子可以答：“我们就会缺巧克力糖和包装纸的原料了。”我问老师何必考这些东西。老师说：“因为我们要从小教育孩子，全世界任何地方发生事情，都跟我们有关系，我们要孩子在未来做个‘世界人’。”

今天中国对世界的影响愈来愈大，也受到世界很大的影响，我们能不做‘世界人’吗？我们能不超越空间的藩篱吗？我们恋土恋旧是对的，但不能故步自封，而该航向海洋、穿过大漠、越过高山、飞向太空，以寰宇做我们的舞台啊！

# 第7篇

## 超越空间的藩篱（二）

我们都是人，可能环境不一样，遭遇有差异，但是人权与尊严是平等的。

上一篇说到我们要超越空间的藩篱，那指的是有形的空间，这一篇则要谈谈怎么超越无形的空间。

二十多年前，发生了一个让我一生难忘的故事。有一天，我到一个所谓的高级白人小区找朋友，回程坐公共汽车，已经有不少人在等车，都是白人，只有我这一个黄种人和另外一对黑人母女。那黑妈妈很胖，穿着管家的蓝色条纹制服，小女孩大概只有三四岁，绑着两条小辫子，很可爱。车子来了，白人先上，接着小女孩因为不用买票，啪啪啪啪地跑上车，坐在第一排的空位等妈妈。我最后，那黑妈妈太胖，动作很慢，我只好跟在后面等。但是当那黑人妈妈扔下硬币，才往车里走，就被白人司机叫住了：“钱不够！回来！”黑妈妈怔了一下，转身，从投币机透明的小窗数里面的硬币。“没错啊！”她说。司机又看了看，手一挥：“好！你走吧！”黑妈妈转身走向小女孩。小女孩好高兴地往旁边移，笑嘻嘻地拍椅子，要妈妈坐她旁边。黑妈妈走过去了，但是没有坐，突然伸手，狠狠给女儿一记耳光，大吼："谁让你坐在前面了？忘了你是黑人吗？滚！滚到后面去！"顿时，车上的空气凝固了，那一记耳光好像打在每个白人的脸上。

美国虽然是个号称民主人权的国家。但是在二三十年前，黑人还是很没地位的。刚才我提到的那位黑人为什么穿管家的制服？因为在高级白人小区，如果你用黑人管家，没规定他穿制服，白人邻居可能向你抗议，说会让人误以为小区里搬进了黑人，造成房价下跌。

这种族歧视，就是一道无形的藩篱、一堵看不见的高墙，它不在外面，而在人们的心里。记得我太太以前当美国大学入学部主任的时候，有一天回来说，她看见一个黑人孩子的申请书，很受震撼。那孩子说，他小时候不知道有黑白的差异，觉得自己的黑皮肤很漂亮，但是渐渐长大，进了小学，觉得连白人老师都有种族歧视，开始恨自己的肤色，回家在水龙头底下，用刷子不断刷自己的皮肤，刷到流血。

我也记得在电影《汤姆流浪记》里的一个画面。黑白两个孩子一起出去玩，黑人小孩受伤了，流出鲜血，白人小孩吓一跳，说："你的血也是红的呀！"

你能怪白人小孩吗？我听一位美国小学老师说得好，当你发现白人孩子歧视有色人种的时候，要我们向孩子家长告状，坦白说是没用的，因为孩子天生不会歧视，而是受家庭的影响。

可不是吗？第二次世界大战的时候，德国人杀害了近六百万犹太人，德国人甚至研究出一套理论，以测量骨骼轮廓来辨别谁是优秀的雅利安人，谁又是劣等民族犹太人。那时候德国孩子欺侮犹太孩子，他们幼小的心灵觉得有错吗？他们的心里早有了一堵墙，是大人为他们建筑的。不但挡了墙外的人，也挡了墙里的他们自己。

各位或许会说，这些都是外国的事，而且都成为历史了，问题是，我们心里的那堵墙真的消失了吗？

记得我有位朋友，在台北近郊某高尔夫球场的旁边订了一栋房子，很得意地对我说那是他的梦中之屋。但是隔一年，我问他什么时候乔迁，他却叹口气说："甭提了！我早把房子脱手了。你知道我有多倒霉吗？政府在我那大楼的旁边，征收了一块地，盖普通廉价住宅，一样高的楼，居然只有我那栋价钱的三分之一。真正的问题是，将来我的孩子跟那些普通廉价住宅没水平的孩子一起玩，被带坏了怎么办？"

我还记得有一回跟朋友去爬山，下了火车，找不到公交车，只好跟另外两个当地人共乘一辆面包车上去。那对夫妻是做鞋子的，我一路问了不少他们工作的情况。下车之后，我的朋友直怪我，为什么跟不上路的人聊天，不觉得有损自己的身份吗？我当时一惊，心想，他这么说，反而有损他的身份。连孔子都说"吾不如老农，吾不如老圃"。连圣人都不耻下问，为什么在这二十一世纪，他还有那样狭隘的想法？

各位朋友，请不要觉得匪夷所思。请大家自己想想，你会不会仍然有门户之见，你看到穿着土的、谈吐俗的、财力差的、学历低的，会不会潜在地有歧视心理？你有没有想过，一个人的出身、肤色，不是自己选择的，而且，每个人都在生活，当你读书的时候，他并没闲着，他可能在工作，而且在工作中学到你不会的东西。古人不是早说了"行行出状元"、"英雄不怕出身低"，那是什么意思？就是平等的观念啊！

我们每个人心里都可能有一道藩篱，不仅所谓上层社会的有，下层社会的也有。记得我二十年前刚到美国的时候，有一天独自去吃饭。走进餐厅，里面一片全是黑人。他们看见我，都笑了起来，好像认为我会被吓跑。我当时是有些惊讶，但是接着走到吧台边坐了下来，点了个汉堡包。才一下子，东西就送上来，还堆了小山一样高的薯条，我请他们拿掉一些薯条，因为吃不了。大家又笑了起来，有人喊："不吃倒掉就好了！"我转头说："哎！何必浪费呢！这世界上还有人挨饿。"接着就有人送上啤酒，请我喝，而且当我离开那家餐馆，一屋子黑人一齐大叫："嗨！哥儿们！欢迎你再来。"由那些黑人的表现可以知道，他们起先也在心里有一道墙，把我挡在外面。自傲的人可能筑一道墙，自卑的人也可能筑一道墙。

我最欣赏东晋陶渊明叫家人善待仆人的一句话——"彼亦人子也！可善视之。"每当我们要歧视别人的孩子的时候，要想想那也是别人宝贝的孩子，如果自己的孩子被人歧视，我会多伤心。"己所不欲，勿施于人。"每当我们看到自以为了不起的人，也应该想："舜何人也，予何人也，有为者亦若是。"

我们都是人，可能环境不一样，遭遇有差异，但是人权与尊严是平等的。

## 第 8 篇 SUCCESS

## 超越时间的藩篱（一）

用时间的第一原则，就是要有弹性，分清完整时间和破碎时间，嘈杂时间和安静时间。

上帝给每个人的时间完全一样，但是会不会用，能造成很大的差异。

如果你看过我的处女作《萤窗小语》（这本书的前三集在大陆的书名是《心灵的四季》），大概会记得有一篇文章的题目是《四个三十不等于一百二》。那是一位企业界的大老板对我说的，他每天早上九点上班，才进办公室就一堆事，可能前脚才有主管报告，后脚又有工会人员抗议，接着客户造访，加上不断的会议和电话，难得有定下来的时间。但是有一天他刚从美国回来，有时差，早早就醒了，干脆去办公室上班，结果那天由七点到九点，他做的事比平常两小时多得多。所以他得出个结论，四个被打断的三十分钟，不等于连续的一百二十分钟。

据说美国微软的创办人比尔·盖茨早就如此，他每天上班，车子开到公司，不直接坐电梯上楼办公，而坐在停车场拨手机，把最重要的电话先打了。

大企业家要把握每一分钟，分出安静时间与喧哗时间，一般人也一样啊！譬如我以前有一阵子在上班的时候写稿子，下班的时候给读者回信。后来发现错了，因为上班常有干扰，那稿子断断续续，写得既慢又不好。倒是写信没这么讲究，所以改为上班写信，下班写稿子。表面看起来，我上班没做正事，做杂事，反而下班之后做正事。问题是，这样的效果好得多。

同样的，很多学生因为第二天要考试，把准备考试、背书当做最优先的工作。放学回家，才吃完晚饭就开始K那几样，到了深夜才做一般功课。表面看来很对，但是如果家里吵，他又容易被干扰，恐怕反而不如先在比较嘈杂的时候做功课，等深夜安静了，再专心K书。如果他的毅力够，甚至可以先睡个小觉，半夜起来念书。因为用时间的第一原则，就是要有弹性，分清完整时间和破碎时间，嘈杂时间和安静时间。

其次，用时间必须分清楚长时间和短时间。

当我儿子上高中的时候，有一天回家，说接下来一整个礼拜放长假，放完再过两天要期中考试。我问他有什么计划，他说当然应该先准备考试的东西，因为要花很多时间背。我说，不错啊！未雨绸缪，早作打算。他又说要去图书馆找些文学名著来看，我说很好，“取法乎上，能得乎中”，看课外书很对。他又说要找朋友聊天，我说也不错，“独学而无友，则孤陋而寡闻”，交朋友是重要的。

一个礼拜很快过去了，到了上课前一天，我听见他要妈妈开车，送他去图书馆。我问他：“才借的书就要还了吗？”他说：“不是！是要找参考书，写参加西屋科学奖的报告。”接着去借了一堆，连着两天昏天黑地读书、写报告。礼拜一，总算把报告交了上去，放学进门，都累得不成样子了，我叫他吃完晚饭快点去休息，他却愁眉苦脸地说："不行啊！明天要期中考试。"我说："你不是放长假的前两天，就先念了吗？"他说："可是隔太久，这两天又几乎没睡，把背好的东西忘光了。"

请问，他犯了什么错？他就是没有把大时间跟小时间分清楚。那个长假加上星期六、星期天，足足有九天，他为什么不一放假就去借参考书，用大时间写西屋科学奖报告，等有闲暇才看小说、找朋友聊天，再利用考试前两天背书？背的东西当然愈靠近，记忆愈清晰，他怎能在放假一开始就背呢？西屋科学奖的报告，又岂是一两天赶得好的？就算赶出来，又可能得奖吗？

会用时间的人，一定要有通盘的规划。记得英国的前首相撒切尔夫人，在记者问她如何日理万机的时候，撒切尔夫人说，很简单！她只是把要做的每件事写在笔记本上，做一项就划掉一项。

乍听，这没什么稀奇，别说英国首相了，很多家庭主妇也如此。这样做好处很多，全看做的人有没有好好发挥其中的效果。你知道先把事情一条条列下来，做一项删一项有什么好处吗？第一，写下来，看得清楚，可以避免遗漏。第二，你可以依照事情的轻重缓急和性质，决定做的顺序。第三，你可以把相关的事情放在一起做，节省时间，产生事半功倍的效果。我举个很简单的例子，来考考各位读者吧！

我常常拍摄很大的"四乘五英寸"的幻灯片，这种专业的东西，必须送到纽约曼哈顿的专门店冲洗，而且最少得等四个钟头才冲得好。因为曼哈顿距我家很远，我每次都顺便去逛博物馆和书店。请问"冲幻灯片"、"逛博物馆"和"买书"这三件事，我应该怎么分配？我是先逛博物馆，再去买书，再去冲照片？还是先去买书，再提着书逛博物馆，再去冲幻灯片？抑或是我先把幻灯片拿去冲，再去逛博物馆，而后买书，再去取幻灯片？

我必定取最后一个。因为冲幻灯片要时间，我何必在那儿干等？书很重，如果买一堆，提去博物馆，多累！我当然先把幻灯片交给店里冲，两手空空、轻轻松松逛博物馆，再去买书，最后才去拿冲洗好的幻灯片。如果幻灯片不多，没有盒子装，我还可以往书里一夹，不怕被折到，接着坐火车回家。

请千万别觉得这是琐碎的小事，要知道积少成多，当你把事情分配好，能够省下惊人的时间和精力。我因为要画画、写文章，甚至做节目、演讲、出版。有些事必须要有安静的心情，有些情况却又很喧哗烦乱，必须在时间上精打细算。说出来各位可能不信，我连由书房到厨房，都会先想好，一路经过客厅、餐厅，要顺便做什么事，拿起什么，放下什么，免得忘了，再多跑几趟。更重要的是，我必须一时两用、一时三用，这很重要。

## 超越时间的藩篱(二)

不会用时间的人，一个是因为犹豫，一个是因为拖，更关键的是他不懂得在同一个时间做几件事。

我有个女学生，人长得有点抱歉，却嫁了个学历好、长得帅，还很有钱的丈夫，大家都说她丈夫是瞎了眼睛，但是我知道没瞎，而且眼睛好极了，果然，他娶了这个女生之后，事业蒸蒸日上。

我是由很多事情上看出那个女生有才能的，不是因为她的画画得好，而是发现她做事非常有效率。随便举个例子，有一天，她请好几位教授到她家吃饭，那时候她还单身一个人，居然能在很短的时间内，不但亲自烧菜，而且不断从厨房跑出来，为这位泡泡茶，为那位添添酒。端出一桌菜之后，坐下来，敬酒夹菜，饭后再很快地一个人撤走一桌碗盘，同时端出咖啡和水果点心。七八位客人到她家五个小时，居然没一个人被冷落，甚至觉得整个晚上她都在客人之间穿梭，不曾进过厨房。

从烧饭这件事，很容易看出一个人会不会用时间。有些人摘摘洗洗切切，做完这个菜，再摘摘洗洗切切，做下一道。结果没几样菜，可能花掉很长的时间。至于会用时间的人，从买菜回家，哪样进冰箱、哪样留在外面解冻、哪样已经泡在水里，已经有了分配。需要慢火煮的、花时间腌的、在烤箱“预热”的，一定先动手，至于切切洗洗，也一次完成，如果再加上有几个炉子，左边炒、右边炸、后面蒸、旁边煮，可能只要前面那人一半的时间，就端出好几道菜，而且每样的火候都恰到好处。古人讲“治大国如烹小鲜”，能说有错吗?

或许有还在念书的读者会说自己不烧饭，不懂。那么我举个我儿子的例子给各位听！刘轩那时候念纽约的史岱文森高中，功课重，夜里两三点上床是很平常的。有一天，他十二点对我说：“今天没功课，可以早点睡。”我听了很高兴，却隔了半天，听到嘀嘀嘀的声音。“你在干吗啊?”我问。他说：“我饿了，在用微波炉。”又隔一下，听到咔咔咔的声音，我又问他，原来他正用刀叉在瓷盘子上切东西吃。我说：“快去睡吧!”可是又过一阵，我被哗哗的声音吵醒，原来他因为白天打球，身上酸，要泡澡，正在放洗澡水。又隔半天，被收音机报新闻的声音吵醒，原来他在听实时新闻，看会不会因为下雪，明天停课。又隔半天，听到砰的一大声，我跳起来问：“怎么了?”他说：“抱歉！明天要上课，我收完书包，扔在地上。”隔一阵又听到放水的声音，原来他在刷牙。这时候看看表，已经一点半了。

请问，他真需要这么多时间吗?换作是我，先打开水龙头放洗澡水，再把食物放进微波炉，再打开收音机。然后拿着热好的东西跳进浴缸，一边听广播一边泡澡，知道要上学之后，再一边刷牙，一手收书。哪需要九十分钟?是不是用一半的时间足够了?

不会用时间的人，一个是因为犹豫，一个是因为拖，更关键的是他不懂得在同一个时间做几件事。也可以讲，他的时间是“单线”的，没有重叠。问题是，如果他要裁好几张一样大的纸，是不是也一张张裁，而不懂得几张一起裁？搞不好,真是！

我在《世说心语2——刘墉教育秘笈》里提过，教新新人类，要容许他们一心三用，当父母师长看见孩子一边上MSN聊天，一边读书一边听音乐，还一边在网上查数据，甚至一边写东西的时候，只要孩子能应付得了，就别骂他，因为如果他能几样事一起做，而且有条不紊，将来更能成功。

同样的道理，各位年轻朋友，如果你上网，每查一个东西，都呆呆坐在那儿等着连接下载，结果半分钟能看完的东西，你得花一分钟去等，你就得好好检讨了！别看一分钟，十个一分钟就是十分钟。这十分钟你可以做很多事啊！你想想，篮球比赛，就算剩下最后三十秒、二十秒，甚至十秒、五秒，是不是都可能扭转颓势、反败为胜？在这个速度的时代，你必须从小就懂得“精算时间”。如同我上一篇里提到的，你要分清楚安静时间、嘈杂时间，完整时间、破碎时间，长时间、短时间，而且按照轻重缓急安排时间。即使从书房到厨房，都想想一次可以顺便做多少事，免得后来想到，重跑一趟，更别说你出远门办事了！

还有一点，是你要以时间来争取时间。我以前教书的时候，有位同事走路总是很快，有一天我跟他开玩笑，说：“你走那么快，人影从我门口一闪而过，会让我紧张，以为失火了、闹小偷了。你的自由影响到了我的自由。”那位教授先跟我道歉，接着请我去他的办公室瞧瞧。原来他摆个大躺椅，旁边有音响、有耳机，还放了一台他专用的咖啡机。他说：“我是要利用每个空当回来听音乐、喝咖啡，享受我自己的时间。”

再举个更实在的例子，有一天我打电话给纽约曼哈顿的一个朋友，说我下午会进城，有空见个面吗？他在电话那头说："我正光溜溜耶！"我说："穿衣服出来啊！"他笑说："对不起，我正在南部的佛罗里达游泳！"我一怔，问他："怎么？你又度假去啦？你一年度多少个月假啊？还上不上班？"各位猜，他怎么答？他说："我一年最少度四个月的假。"然后强调，"你要知道，我是搞创意的呀！我平常做事讲求效率，绝不拖，所以能在很短的时间把事做完，争取到度假的时间。然后，我完全放松，很可能就是在游泳池旁边晒太阳的时候，突然灵光一闪，有了新的创意，用这创意赢过别人。"

可不是吗？与其拖拖拉拉和发愣，把时间一分一秒浪费掉，不如抓紧时间，以时间争取时间，把握小时间，创造大时间，使自己能在繁忙之间，有完全放松的时刻，让许多想象、创意和浪漫，好像在一块空白的画布上纵情地挥洒。

会用时间的人不拖延、不瞎忙，而是有计划地分配时间。忙碌之间要休闲，休闲才能产生创意、积蓄力量，让你走更远的路。

# 第10篇

## “抱”“负”相随:超越自己才能成功

“抱负”！“抱负”！要“抱”就得“负”。要“拥抱和拥有”，就得“背负和负责”。“舍得”！“舍得”！要得到就得舍弃，不割舍就难以获得！

我二十多年前写过一本书，这本书里谈的是花鸟的写生。我曾经有很长一段时间，每个礼拜都去纽约的自然历史博物馆做鸟类的研究。像我画的几只鸽子，就是在那儿做的写生。但是在整个自然历史博物馆的无数标本当中，我最喜欢的不是这种常见到的鸽子，而是一种很特别的大鸽子——渡渡鸟！可惜的是，这种鸟早在十七世纪就绝种了。它大约两英尺高，有大大的喙、短短的尾巴和小小的翅膀。你能相信它是鸽子的亲戚吗？鸽子那么轻盈、那么能飞，渡渡鸟却有二三十公斤重，而且根本不会飞。其实应该说它们原先也会飞，只是生活在印度洋的毛里求斯（Mauritius）岛上，没什么天敌，食物又多，既然那里已经是天堂，何必再往别处发展？既然没什么动物会来捣蛋，干脆窝也不必往高处做，就筑在地上吧！于是愈长愈大、愈长愈胖，到后来连翅膀都退化了。没想到有一天荷兰的水手到了岛上，发现这么好抓又好吃的渡渡鸟，没多久，渡渡鸟就被抓走杀光，绝种了！

我今天提到渡渡鸟，是要讲，如同古人说的，“学如逆水行舟，不进则退”，智能和体力也如逆水行舟，不用就会退化。相反，愈用愈能进步，甚至能进化。

不错！进化！我曾经在上一部作品《世说心语2——刘墉教育秘笈》里引述学者的研究：人类一直到今天还在进化。而且不止人类，各种动物如果它不想像渡渡鸟一样被淘汰，它就得进步、进化。这也是我要讲的“超越自己”。

“超越自己”不是个新词，其实古人早就说了。“天行健，君子以自强不息”，这自强不息，是不断努力超越。“苟日新，日日新，又日新。”这求新求变是不断超越。甚至“譬如昨日死而今日生”，悔恨以前的自己不够好，当下开始努力，也算是超越。

我曾经在《超越自己》这本书里提过，我们最大的敌人不是别人，而是自己。可不是吗？哪个人不爱吃、不贪玩、不贪财、没有惰性？那都是人的天性啊！问题是，为什么有那许多人，会为了健康，再不然为了漂亮，能够美食当前，硬是不吃？又为什么知道“临财毋苟得，临难毋苟免”？还有，为什么许多人不为名、不为利，而献身公益、投入政坛？要知道遇到好吃而不吃，大难当前而不逃，能退休享福而不退，就是超越自己——超越了每个人与生俱来的弱点。

曾经有人统计，学历愈高，平均寿命愈高。你可以这么想，学历高的人可能出身比较富裕，后来赚的钱又多，日子过得好，所以寿命比较长。但是更重要的是那些学历高的人，因为不断使用脑力，老年痴呆的比例比较少。而且那些人活到老、学到老，更能跟得上时代，更有养生观念，也更有自制力。因为懂得养生不稀奇，难在想吃而不吃的“忌口”和不想动却非动不可的“运动”。

一个人从小受教育，除了学到知识，最重要的是学到自制。科学家早发现，对一群孩子说，要发糖果了，可以马上拿到比较小的，也可以多等一会儿，拿大的糖果，那些愿意等待以得到较大糖果的孩子，成年之后，平均有较高的成就。那等待是什么？是别的小孩已经在吃，而他不吃；当别人急功近利，以眼前为满足的时候，而他把眼光放远，朝着认定的目标前进。

各位再想想，从小学一年级考试就会有的“是非”和“选择”题，除了考学生的能力，更有什么好处？答案是：第一，教你明辨是非，告诉你这个世界上有对有错，不能不分黑白。第二，教孩子选择。一、二、三、四，有那么多答案，每个都像是正确的，但是你只能选一个，选了这个就不能选那个。别以为“是非选择”是最简单的考试方法，要知道我们一生都在做这种是非选择题。也可以说，我们从小就得到一个概念，这世上的东西不能都属于我，我为了得到这个，就可能得放弃那个。

“抱负”！“抱负”！要“抱”就得“负”。要“拥抱和拥有”，就得“背负和负责”。“舍得”！“舍得”！要得到就得舍弃，不割舍就难以获得！

所以每一个一路由小学、初中、高中拼上来，拼上大学，甚至研究所的人，都应该知道：为了考试，常常得牺牲睡眠；为了成功，可能不得不牺牲健康；为了正义，可能不得不牺牲生命。

当我儿女小时候，我最常对他们说的是“现实常常不如你想象的好”。台湾有句很流行的话，“有梦最美，希望相随”。大家常引用，我却反对，因为有梦最美，没错！但不应该只是希望相随，梦已经是虚幻了，还能加上一个虚幻的希望吗？在美梦之后要的是实实在在的努力，所以应该改成“有梦最美，行动相随”。

只有行动才能使你的美梦成真。同样的道理，成功是每个人都希望的，但是希望归希望，那些真正成功的人，一定都做过牺牲，所以可以讲："成功虽美，但要牺牲!"

我也常常对年轻朋友说："如果你对自己太好，这个世界就可能对你不太好。"还有，"如果人家同时丢给你三个球，你每个都不愿放弃，就可能一个球都没有。"

尤其是还在人生"骆驼"阶段的小朋友，我不能不对你们强调，人的一生确实就像尼采说的，由禽兽的这一侧，走过绳索，到超人的那一侧，而且下面是无底的深渊。我们只要有一刻放松、妥协，就可能摔下去。而且，想一想那可爱的渡渡鸟，它们生活在毛里求斯岛上，能想到在短短几十年间，就整个灭种，完全从这世界上消失吗？我们可以没有忧患，但是不能没有忧患意识，如同渡渡鸟，可以不必飞，但是不能不会飞。

我在二十多岁写的《萤窗小语》当中，有一句话，我到今天还奉行不渝，就是："人如果没有更高的理想，就会在现实中沉落下去。"幸福常常带来腐化，除非你能以幸福创造幸福，带给自己以及更多人幸福!

# 第11篇 SUCCESS

## 创造自己，肯定自己

上帝给每个人一副无法选择的牌，但是我们能决定怎么打这手牌。

最近我应邀到重庆的一个重点高中演讲，离开的时候好多学生追着我问对大陆“80后”作家的看法，他们还怕我不懂，就说是指一九八〇年后出生的那些年轻作家。我说很棒啊，我看过他们的作品。学生立刻笑了起来，说：“您不知道？其中一位还骂过您呢！”我说，我知道啊！年轻人发表年轻人的看法，他们有他们的感觉，而且敢说出来，不是很好吗？我小时候也会写那样的文章，有一次在校刊上骂台北市的公共汽车，说主管公交车的单位是脓包，搽药不管用，非把脓挤出来不可，结果文章硬被训导处扯了下来，不准刊登。

说实话，对于年轻人标新立异、特立独行，只要不过火，不违法，不干扰到别人，我是不反对的。因为如同对爱的感觉，十八岁会等于二十八岁吗？二十八岁对异性的观点，又会跟三十八岁的相同吗？对同一件事，不一样年龄的人看法可能大有差异。

你可以说一个十七岁孩子写的东西技巧不成熟，但是当那十七岁孩子到了二十七岁，技巧成熟了，人也成熟了，他还写得出十七岁的感觉吗？

从这个角度去想，我认为由于中国过去科举取士，一个个年轻学子悬梁刺股、焚膏继晷，拼命读书以求取功名，虽然书可能读得不错，却忘记了十五六、十六七甚至十八九岁，是人生最浪漫、最敏锐的时候，因此失去许多创作的机会。

各位想想，比尔·盖茨哈佛念一年，离开的时候，他才几岁？不过二十一岁啊！他为什么不等拿到哈佛大学的学位之后再创业？正如很多计算机人士说的，搞计算机设计，过了三十岁，就差不多了。为什么？因为年轻是最有创造力的时候。那时候不创造，更待何时？

相信很多朋友看过美国演员罗素·克洛演的《美丽心灵》（A Beautiful Mind）。那可是个真实故事，你知道约翰·纳什（John F. Nash）六十六岁获得诺贝尔经济学奖的"纳什均衡博弈论"，是他几岁写成的吗？居然是他二十二岁的作品。在那之后他几乎就沉寂了，而且沉寂了一辈子。如果他年轻的时候没好好发挥创造力，后来能得到诺贝尔奖的肯定吗？他得奖是靠二十二岁，不是靠六十六岁啊！

同样，获得诺贝尔文学奖的日本作家川端康成，一九二〇年发表成名作《招魂节的一幕》时，他才二十一岁。

我们每个人到这世界上，最重要的工作就是"创造"！尤其年轻人，创造力强，更得努力发挥创造力。创造出属于你，有你创意与风格的东西。

或许有人要说，我又不是艺术家、文学家，也不打算搞科技发明，无关创作。这么说，你就错了！请问为什么你是你，不是别人？为什么你跟别人就是不一样？如果这世上每个人都一模一样，有你没你，又有什么分别？你存在的价值又在哪里？

最近我有个学生对我说，某大经纪公司要为他包装，把他捧成明日之星。他说："天哪！他们连我该怎么走路、穿哪种颜色的衣服、梳怎样的发型，甚至讲多少话、曝多少光——连眼睛看人的样子都要规定。"

我听了，对他讲："没错啊！因为他们要你感觉上跟别人不一样，叫人一看就是你。"我还举个我书上的例子：如果你有两天没刮胡子，朋友可能笑说你真忙，连胡子都没刮。但是如果你一个礼拜没刮，人家可能偷偷议论："奇怪，他是不是家里有事？"你再过几个礼拜没刮，大家又知道你没"居丧"的时候，可能说："原来你要留小胡子，得了吧！难看死了！"但是假如你坚持下来，过几个月，大家看习惯了，又可能说："哎，其实你留小胡子还挺有味道的。"请问，这表示什么？表示风格要创造，创造是要认定方向、坚持到底的。

我们每个人到这世上来，都应该有两项创造，一个是创造生命，使下一代能够延续，另一个是坚持我们自己的风格，创造属于我们特别的东西，使这世界能变得更丰富而有变化。

请问，一个身高两米三，到篮筐就能把球放进去得分的球员，跟一个一米六〇的球员，如果在比赛里能旗鼓相当、得分相同，你会比较佩服谁？还有，你会佩服一个超级美女吗？你大不了羡慕她长得漂亮，却不会因为她的美艳而佩服她吧？因为她的美貌是天生的。你大不了佩服她妈真会生。但是如果有个长相很一般的女孩子，因为气质谈吐不平凡，而给人留下深刻美好的印象，你就会比较佩服了，对不对？因为她在天生的基础上，靠她自己后天的努力，增加了许多好东西。

同样的道理，一个“一目十行”和一个“十目看不了一行”的人，如果都拼命，考了高分，你更佩服哪一位？当然是后一位。

我曾经在师大毕业之后，教过一年高中。当时我做导师的班上有个学生，手指上总缠着胶布。不是伤了这根手指，就是伤了那根手指。有一天，我憋不住了，问他为什么总是受伤。他嗫嗫嚅嚅了好半天，说：“因为我读不好书，每次成绩差，就用刀片割手指。”我把他骂了一顿，叫他再也不能这样。但是当我看到别人玩耍，他却低头抱着书走来走去，不断敲自己脑袋，口中念念有词的时候，不得不暗自佩服他：“瞧！这是一个人，一个能超越自己与生俱来的有限条件，创造他自己成绩的人。”将来无论他能不能成功，他做人的态度都应该被肯定。话说回来，我教的是台北的重点高中，他可能看来比别人智商差些，但是能考进去，可见他在初中已经靠后天的努力取得成功了。

最近有一本非常畅销的好书《最后的演讲》(The Last Lecture)，不知道各位看过没有，如同《纽约时报》的评论：“作者兰迪·鲍许（Randy Pausch）在人生的尽头，仍然不忘厘清轻重缓急。”更精彩的是鲍许在演讲里强调的：上帝给每个人一副无法选择的牌，但是我们能决定怎么打这手牌。

打这手牌，就是创造自己。只有超越自己先天的条件、创造自己个人风格的人，能够发挥生命最大的光亮，肯定自己的存在。

每一位自认为先天驽钝的朋友，请不要气馁！请以此自勉！

# 成功始于定位

每个人都有所长，也有所短。短跑的高手，不见得能长跑。马拉松的健将，八成参加百米竞赛会不堪一击。上天把人生得不一样，就要以不一样的方法去利用自己的长处。如果你不认识自己，就八成会输。

最近跟几个女学生聚会。听她们讲话真有意思，譬如她们会把结了婚的同学一个一个提出来比较。比较那女生大学时候的择偶条件和后来嫁的人。各位猜，结论是什么？是女生们嫁的往往跟她早先定出来的条件非但不合，而且恰恰相反。譬如某女生说将来的丈夫得最少一米八高，没有近视，家里有钱，后来却嫁了个一米六五高、一千度近视的穷小子。最后，还没嫁的女生说："我们不敢再去挑剔别人了！只敢挑剔自己，先照照镜子，为自己定个位。"

小学的时候，我读过一篇课文——《伟人从小就看重自己》。它对我产生了很大的激励作用，使我从小就设定了较高的理想。但是今天，再读这篇文章，我却觉得一个人固然要"看重自己"，更应该"认识自己"。

认识自己并不难，我们甚至可以说，每一种生物都认识自己。

你看！那长角鹿和长颈鹿，为什么宁可在旷野吃草，或伸着脖子啃稀稀疏疏的树叶，却不进入丛林？因为它们知道，善跑的长腿，到丛林就没了用武之地，善于远远瞭望、躲避猛兽的颈子和长角，进入枝叶交错的树林，反而成为累赘。

再看看老鹰，为什么它们总把巢筑在巉岩树梢，而不像一般鸟类，在树林里筑巢？它们又为什么爱在空旷处的高空盘旋，却不进入密林寻找猎物？好吃的小鸟和小动物，不是多半藏在树林里吗？因为它们知道巨大的翅膀不适合在密林里翱翔，把巢筑在树林里，即使山雀都能偷袭它的小鹰。

还有世界上跑得最快的动物猎豹。你晓得它们最快的速度只能维持一分钟，然后，就得花上二十分钟才能恢复吗？我看过一个非洲野生动物的影片，猎豹追一只鹿，鹿不断改变奔跑的方向，减慢猎豹的速度。突然，猎豹停住了，因为没有力量再跑。那只鹿居然逃脱了。

人也一样啊！我在小学时有一位同学，个子不高，力气却奇大。在桌上比腕力，他几乎所向无敌。但是后来，有人发现了他的弱点。就是跟他比力气，你要拼命撑着，别让他一下子压倒，只要你能不被他按在桌子上，撑个二三十秒，再拼命一扳，就能反败为胜。果然，只要撑到最后一刻，那个常胜将军就不堪一击了。

我也记得有一次看拳击赛，评论员说的一番妙语：

“对付穿蓝裤子的，只要你能在五局之内不被他打倒，就八成能赢了。对付穿红裤子的那个，只要你在八局之内不把他打倒，你就九成要输了。”

那场拳击赛简直是交换挨打的比赛，前面几局穿蓝裤子的拳如雨下，后几局穿红裤子的占尽优势。我心想，为什么蓝裤子不保留一点体力到后面，红裤子又何不在前面多花点力气？但是看到结尾，蓝裤子倒在了地上，让我想到那位小学同学。我知道他没有错，因为他知道自己是在短时间爆发力够，却没有持久力的那一类型，对方则恰恰相反，当然他得发挥自己的长处，攻击对手的短处。

每个人都有所长，也有所短。短跑的高手，不见得能长跑。马拉松的健将，八成参加百米竞赛会不堪一击。上天把人生得不一样，就要以不一样的方法去利用自己的长处。如果你不认识自己，就八成会输。

我常感慨地想：一个人从小到大，不断筑梦。到底是愈筑愈美，还是愈筑愈惨？幼年时，你可能立志将来做总统。少年的时候改了，说自己要当医生。上了高中，功课实在跟不上，又改口要做艺术家。等有一天学了画，才画几笔，就被老师涂掉，于是脑袋空空地走出来，又试着筑另一个梦。我们认识的自己是永恒的吗？还是随着岁月的改变，我们每天都该认识自己、评估自己，甚至为自己“定位”？

如果有一天，你到好莱坞去，走在星光大道上，你会看见很多高级夜总会，穿梭着珠光宝气的明星。你也可能看见那夜总会的旁边，有脱衣舞酒吧，里面一群色眯眯的人，围着几个发光的大圆桌子。桌子上有着美丽妖娆的年轻女子，一件一件脱，脱得一丝不挂。据说那些女孩很多都是满怀明星梦，去好莱坞淘金的。只是，有些被发掘了，跃上名利双收、万人称羡的银幕，有些去演了“三级片”，又有些，走上色情酒吧的舞台。

有位好莱坞的影星经纪人说得好——“到这里，第一件事是认识你自己。你可以把自己高估，等着星探惊艳，连配角都没演，就一下子成为主角。你也可以坐冷板凳，一年年等下去，把行情一点点降低，最后去跳‘牛肉场’。再不然，你就先别太高估自己，而从跑龙套干起，好好表现，慢慢往上爬。”

在台湾也一样。当我在电视公司上班的时候，就总是不平。为什么有些年轻人从演员训练班学起，几年下来，也跃不上屏幕？又为什么有人连摄影棚都没进过，却一下子被发掘，突然当上主角？

制作人给我的答案很妙：“有幸，有不幸。你如果自认为真有才华，是凤凰，就可以摆谱，非枝头不站。如果没有把握，就由树根爬起，说不定有一天也能站上枝头，变成凤凰。”

这也让我想起以前念美术系的时候，一位教授说的话：“作为一个画家，画价可以由你自己定。你可以自视很高，才毕业，一张画就卖十几万。你也可以很保守，由一万块钱起标。但你知道，你定价贵可能几年也卖不掉一张，有一天突然大红，成为名家。至于标价低，可能供不应求，但从起初，就被定位成‘市场画家’，一辈子翻不了身。”

他最让我难忘的一句话是：“记住！从一开始就认清自己的能力，再为自己定个价。如果定错，很可能会影响你一生。”

每次看见自视甚高的朋友，一再拒绝不合他理想的职位，终于怀才不遇，或是在生活的压力下，放弃半生的坚持，做了很屈就的选择，我都想：一个人应该先看重自己，立志成为伟人呢，还是应该随时充实自己、评估自己、调整自己，为自己定个位？

# 第13篇

## 超越读书苦

即使后来用英语教课，我也从来没喜欢过英文。可是，我的小女儿，学英文不过四年，为什么已经能乐此不疲呢？

当我女儿上小学的时候，她最爱去的地方就是图书馆，因为每次都能抱回一摞英文故事书。总见她在灯下捧着书看，读到紧张处，眼睛都不眨一下，甚至把脚缩起来，蹲在椅子上看。有一天，我好奇地问："你看得懂吗？书那么厚，你不觉得累吗？"

"当然看得懂。"她头也不抬地回答。

我凑过去，发现那书写得很深，便指着其中一个冷僻的字问她："这是什么字？"

"不知道！"

"不知道！"我惊讶地说，"不知道你怎么看？"

小丫头居然理直气壮地说："猜啊！多看几次就懂了。"

每次见她抱着"砖头书"看得津津有味，我就想起自己当年读英文的窘况。即使后来用英语教课，我也从来没喜欢过英文。可是，我的小女儿，学英文不过四年，为什么已经能乐此不疲呢？

有一天，我看到她的英文课本放在桌上，便过去翻了翻。这下子，我懂了，原来她的英文课本写得非常生动，就像一本故事书。我心想："看！人家美国教育做得多好，课本编得多生动，怪不得孩子喜欢读。"但事隔不久，我回到台北，因为书愈来愈多，不得不把一些抛弃。我坐在旧书堆里一本本地翻，看到一本封面上画得乱七八糟的书，打开，原来是害我重修的大一英文课本。

"恨死这本书了。"我咬着牙想，"害我差点没能毕业。"

翻开第一页，是哈佛大学校长对新生的演讲词。读了读，使我忆起儿子进哈佛那年，我和太太陪他去新生训练的情景。这演讲词写得还真有意思。我继续翻，看到毛姆的短篇小说《午餐》，写一个女人多么爱吃，又专挑贵的吃，差点让男朋友走不出餐厅，后来她终于变成大肥婆。读到这儿，我大笑了起来，因为自己的写作风格，居然跟毛姆有点像，搞不好是当年受到他的影响。

我一页页翻下去，以前明明好像坎坷的石子路，却发觉二十多年不见，已经变成平坦宽敞的柏油大道。艰苦的跋涉不见了，取而代之的是四周美丽的风景。我突然发现，其实我们自己的课本也编得很生动、很好看。如果我今天在书店里见到，只怕还会买回家呢！多好啊！一本小小的书，收集了这么多深浅适中的名家精品。昔日的仇人，竟然变得这么亲切可爱了。

跟着我又应邀到一所高中演讲。演讲后，为大家签名。有些学生没有我的书，就拿笔记本或课本请我签。这时候，我常会停下来，好奇地翻翻他们的课本，问学生："这课本好不好看？"他们多半想都不想，就一摇头："不好看。"

也有个学生反问我："你觉得好看吗？"

"现在觉得很好看。"我笑笑，"但是当我像你这么大的时候，也觉得很不好看。"

"是不是当年我们做学生的时候，从来也不会觉得课本的内容很有意思？"我近来常想这个问题。我觉得并不一定。因为几乎每个学生，在学期开始，刚拿到新课本时，嗅着新书的香味，看着漂亮的印刷，都会忙不迭地翻一翻，而且常常觉得很有意思，只有跟着想到这厚厚的一摞书，都将成为眼前的压力，那兴奋就消失了。

想起我以前受军训的时候，有一个营，都是异域求学归来的学生。他们本来不必入伍，而是志愿参加。我觉得十分辛苦，看他们却总是很开心。有一天好奇地问："你们连上的训练是不是比较轻松？吃住是不是特别好？"

记得有一位回答得很有意思："因为你们是非来不可，而我们是自己要来的，所以比较快乐。"

这世上许多事情不都如此吗？再举个例子——有个人匆匆忙忙地跑进电梯，对电梯管理员说："快！帮我按二楼，我赶着出去打球。"才二楼呀！而且，他既要出去打球，爬楼梯不也是种运动吗？他不把爬楼梯当成运动的道理很简单，因为那没有挑战，不新鲜、不好玩，更简单地说，是因为他的"一念之间"。

读书的苦与乐，也就在那一念之间。如果你生在一个不以成绩和名利挂帅，又没有什么升学压力的地方，如果你的程度很高，从不拖延积压，如果你能不计得失，完全为自己喜欢而读书，那么，学校的课本都可以是生动可爱的。

相反，只要你心里有一点不情愿，觉得是被逼着读书、为父母读书，而不是为自己。那一念之差，就成了"读书苦"。

“十年寒窗无人问，一举成名天下知。”我很不欣赏这句话，觉得它给了学子错误的印象，仿佛读书就是“寒窗苦”。它也使读书人太功利，似乎读书就为了科举、当官、出名。反而是陶渊明说的“好读书，不求甚解，每有会意，欣然忘食”，因为不功利，而显得出读书乐。

各位年轻朋友，你觉得读书乐，还是读书苦？你觉得是为求知读书，还是为分数读书？你是不是也试试看——拿到新课本的那一刻，就想：这些都是有意思的书，是我自己要看的。每次把书打开之前先想：“它不是课本，是好书；它不是楼梯，是运动；它不是征召入伍，是志愿从军；它是读书乐，不是读书苦。”

## 热狗与冷猫

据我观察，最被同学尊重的，往往不是一找就能找到的，因为那样太便宜、太方便、太不稀奇，反而是功课好，有空才开机的学生，好像比较吃香。

大概凡是为我办过巡回演讲的人，都知道因为我容易过敏，讲台上不能摆香花，又因为我的胆囊被割掉了，所以吃东西绝不能油腻。总之，请我演讲很容易又很麻烦，容易的是我不应酬，麻烦的是我有一堆禁忌。可是，请问，我这么小心是为什么？是为不辜负邀请的人，也是为了把演讲做好。我还自己取了个外号，叫“热狗冷猫”。

什么是热狗冷猫？请听我细细道来——

有一天，我跟家人聊天，聊一半，到我该写作的时间了，怕影响他们的兴致，我就偷偷离开，去了书房。

“爸爸呢？”隔了一阵，我听到儿子问他妈妈。

“去写作了。”我太太回答。

“爸爸好像一只猫。”儿子带着抱怨的语气说。

又隔一阵，我写到个段落，走出书房，好奇地问儿子：“你为什么说我像一只猫?”

刘轩一笑：“是啊！你不像猫吗？猫就是自己有什么事，闷声不响地走开。”

“形容得真好。”我说，“刚才我确实有点失礼，但是话讲回来，如果说我今天在事业上，还稍有一点成绩，就因为我像一只猫，总在心里有个自己的计划，该走的时候，绝不留。”

我家附近一栋建筑物的墙上，挂了幅大大的海报，上面印着一只狗和一只猫，标题写得很妙——“热狗冷猫”（Hot Dogs, Cool cats！）。

每次我经过，都会欣赏一下那个由保护动物协会印制的海报，觉得标题用了双关语，很有意思。“热狗”和“冷猫”一方面让人想到“热狗面包”和“很酷的猫”，一方面又形容了狗和猫的个性。

自从儿子说我像猫，我对那海报更多了分感触——“热狗”和“冷猫”不是也可以形容人吗？有一种人特别热情，一天到晚追着朋友，跑前跑后、大呼小叫，像是热情的狗。另一种人我行我素，有他自己的计划、自己的主张，不管别人欣赏不欣赏，就是执意去做，不正像说来就来、说走就走的“冷猫”吗?

我也想起以前在中学搞社团的一批朋友，很多人不分昼夜地为活动忙，把功课耽误了，甚至弄到留级。还有两个在大学搞社团的朋友，先在学校出风头，又被校外的人看上，整天在外面跑，因为旷课太多，居然被“勒令退学”。

记得当时他们退学，大家还办了欢送会，那两个人也沾沾自喜，认为不是被退学，而是早一步成功，因为他们“已经开始成功”。只是后来知道，他们并没有被校外人士继续重用，结果蹉跎了一番岁月，还是想办法“重考”，再回到学校，完成未竟的学业。相反，那些要玩能玩，要读书又能专心读书的同学，后来一个个都很成功。

如果把整天忙碌搞活动的人看成“热狗”，把书呆子看做“冷猫”，那些能玩又能用功的不就集“热狗”与“冷猫”于一身了吗？想通了这一点，我又对儿子说：“你上次说我像猫，错了！你应该说我像狗也像猫，我是爱动也爱静，能玩也能认真工作的‘热狗冷猫’。”

记得在美国的《每日新闻报》上做过一个统计，大意是说：“现在由于传真机和计算机网络的普遍，已经有愈来愈多的人在家里上班。大公司为了减少人事支出，也开始以‘按件计酬’的方式，把事情交给那些‘在家工作的人’。”统计报告建议：“如果你想在家工作，一定要把持得住自己。否则必定事倍功半、一事无成。”又说：“督促自己最好的方法是，虽然你在家里工作，但是必须严于律己，对所有的朋友宣告：‘我上班时间，如果没有急事，千万别来打扰。’当然，在你工作告一段落时，也可以邀三朋四友，到家里好好聚聚。”

这段文章里建议的，不正是个“热狗冷猫”吗？

我相信成功的作家，一定都是“热狗冷猫”。想想一位作家如果写作的时候不专心，怎么能写出好文章？相反，整天创作，却不接触外界，又怎能有丰富的灵感？于是你可以想象在田里跟农夫一起割麦子的托尔斯泰，在海滩为老婆撑伞、跟孩子玩耍的毕加索，到非洲打猎、古巴冲浪的海明威，经常游泳、长跑甚至打拳的萧伯纳，还有那位总是参加宴会，而且以开玩笑著称的马克·吐温。

我为什么说这“热狗冷猫”的故事？因为我发现太多年轻人，为了表示自己豪爽、爱交朋友，整天跟朋友们聚会，又不好意思离开，结果影响了自己的学业。如果作为学生，却把“学习”这件事给忘了，就算你很“四海”、很哥儿们，又可能获得别人的尊重吗？我也发现有些学生整天开着MSN，好像半个简讯都不能不回。但是据我观察，最被同学尊重的，往往不是一找就能找到的，因为那样太便宜、太方便、太不稀奇，反而是功课好，有空才开机的学生，好像比较吃香。

我们常骂人“忘本”，那“本”也可以说是我们的正业啊！

“假使一个男人，不知道什么时候把自己从女人身边拉开，一个女人，不知道什么时候把自己从孩子身边拉开，一个孩子，不知道什么时候把自己从电视前面拉开，他们都不可能有杰出的成就。”这是我常说的一段话，它可能有些武断，但必然有相当的道理。

请问：你是“热狗”，还是“冷猫”，或是既能玩，又知道适可而止收心工作的“热狗冷猫”？

# 第15篇

## 精神好了再说

原来认为应付不了的考试，在休息好甚至出去运动运动之后，不但没误了时间，反而读书的效率特别好，原先觉得难的东西，也变简单了。所以在对一件事情说不之前，可以先缓一下，别急着作决定。

某天早上，我出门的时候，看见邻居太太，一个人坐在门前的椅子上。“等谁啊？”我问她。她一笑说：“没等人，在等我老公的电话。”说完又一笑，“我老公早上一睁眼就说股市还会跌！要我卖掉手上的股票，可是八成他起来之后就会回心转意。”正说呢！她的手机响，果然她老公急着打电话，叫她别卖股票了。

原来那已经不止一次，就是她丈夫刚醒的时候会悲观，起床之后吃完早餐，精神一来，就又变得乐观。

其实每个人都一样，精神不同、身体状况不同，看事情的态度可以完全不一样。说几个故事给你听，第一个是“左右手的差异”——

我常打网球，每次到球场，教练都会交给我一大篮网球，要我自己挑“状况好”的球出来打。那些球都是旧球，虽然因为多少已经“走了气”，不能当“比赛球”，但是用来做练习，还是不错的。我总是挑那些气比较足、捏起来比较硬的。大约一百个旧球当中，能有二十多个入选。奇怪的是，有一天，同样一百多个球由我挑，居然有六十多个都很硬，被我选了出来。“不可能啊！”我心想，“难道今天我右手懒得把拍子放下来，改用左手挑，就有这么大的差异？”我放下球拍，跟以前一样，用右手再挑一遍。果然，原先“过关”的六十个球，又只剩下二十多个。

多妙啊！同一个人、同一颗心、同一个标准，只因左右手力量的不同，居然有这么大的差异！

第二个故事是“精神状态造成的差异”——

我住在一栋高楼里，每天都要上下十几层的电梯，由于坐惯了电梯，我几乎能闭着眼睛，心里算着楼层，暗自喊一声“开门”，电梯就正好到达。

但是有一天，我夜里突然想到一封该收到的信，于是睡眼惺忪地下楼拿。这一回，我的“心算”居然不灵光了。我心里才算到三分之二，电梯就到了。回楼上，再算一次，又是这样。我发现电梯的速度没变，只因为我的反应比较迟钝，“时间的感觉”居然不一样。

如果你不常乘高楼电梯，可以试着用家里的微波炉做实验。先在白天用微波炉，譬如设定三十秒，从一开始，就在心里默数。练习久了，八成你心里数到三十，那微波炉也正好嗒嗒嗒嗒叫，时间到。好！你再试着在睡得迷迷糊糊的时候做同样的事，八成才数到二十几，炉子就响了。由此可知，同样的时间，当你精神状况、身体状况不同时，在感觉上也会不一样。有时候你觉得时间不够，其实不是真不够，而是你的身体状况不好。

现在说第三个故事，是“健康状态造成的差异”——

每次我在台湾地区忙上一阵子，刚回到美国的时候，任何地方请我演讲，我都会毫不考虑地说："不!"但是每次当我说不的时候，我的秘书都会讲："这演讲还早呢！是不是过两个月再回他们的话?"于是，把事情压下来。两个月过去，秘书再拿同样的事情问我，我往往会沉吟一下，说让我想想。再隔几天，八成就会点头了。秘书说得不错——我一累，就什么都"不"；等精神恢复，就什么都好办了。

还有一年，我去马来西亚，到台湾地区就肠胃不好。回美国，一下子由"大热天"进入冰封雪冻的寒带，又因为出去铲雪，摔了一跤，在床上躺了一个多月。生病的这段时间，我怨天尤人，不断地悔恨，怪自己不该出远门，也不想计划未来的事，所有的"宏图"全不见了。一个多月之后，我病好了，又开始打球、长跑。奇怪的事情又发生了——那些生病的时候认为办不到的事，件件都变得容易，似乎只要做，就一定能成功。

第四个故事是"环境气氛造成的差异"——

相信只要上高中，每个人都会读到范仲淹的名作《岳阳楼记》，各位记不记得其中先讲："若夫霪雨霏霏，连月不开；阴风怒号，浊浪排空；日星隐耀，山岳潜形；商旅不行，樯倾楫摧；薄暮冥冥，虎啸猿啼；登斯楼也，则有去国怀乡，忧谗畏讥，满目萧然，感极而悲者矣!"好像伤心透了，可是当天气改变："至若春和景明，波澜不惊，上下天光，一碧万顷；沙鸥翔集，锦鳞游泳，岸芷汀兰，郁郁青青。而或长烟一空，皓月千里，浮光跃金，静影沈璧，渔歌互答，此乐何极？登斯楼也，则有心旷神怡，宠辱偕忘，把酒临风，其喜洋洋者矣!"可见同一个人，面对不同的景色和天气，在心情上能有悲与喜完全相反的差异。

从上面这几个例子，可以知道，当我们想不开一件事的时候，问题很可能不在那件事，而在于我们的精神状态。正因如此，很多认为毫无希望、走上绝路的人，被救回之后，都能开创一片美好的人生。原本对工作已经厌倦，想辞职不干的人，出去度个假之后，又可能野心勃勃了。原来认为应付不了的考试，在休息好，甚至出去运动运动之后，不但没误了时间，反而读书的效率特别好，原先觉得难的东西，也变简单了。所以在对一件事情说不之前，可以先缓一下，别急着作决定。先想想，你现在的精神状况怎么样。

正所谓“忍一时风平浪静，退一步海阔天空”。你很可能发现原来嫌啰唆的朋友，一下子变得殷勤可爱了。原先的“山重水复疑无路”，突然变成“柳暗花明又一村”了。甚至原来找你麻烦的敌人，一下子成为给你机会的同志了。而且原先百思不解的问题，突然间全有答案了！

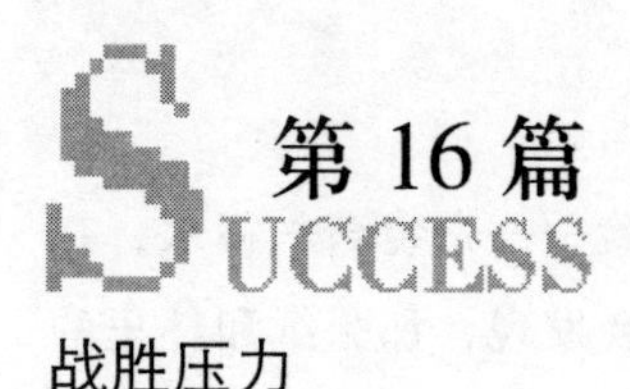

# 第16篇

## 战胜压力

压力有着非常特殊的滋味，如同云霄飞车，你可以转身离开，去玩简单的，也能硬着头皮坐上去，再在尖叫之后轻松地离开。

我曾在电视上看到一个日本NHK记者做的报道，人坐在泡了水的车子里，当水位淹到六十厘米，车门还打得开，但是淹到七八十厘米的时候，就推不开门了。因为水深只要变成两倍，水压就会上升四倍。所以专家建议车上最好带能够敲碎强化玻璃的锤子，以备不时之需。而当车子掉进深水里，推不开车门又打不碎车窗的时候，可以等，等车里渗进的水逐渐上升，跟外面差不多高的时候，因为压力相当，就很容易打开门了。压力就是这么妙，当你内在的力量强，那外来的压力常常就算不得什么了。今天就来谈谈怎么战胜压力。

常听人说：“压力太大，受不了。”或是讲：“我这个人，就是受不得压力。”

其实我们每个人从尚未出生，就已经受到压力，而且一直到死，都无法脱离。甚至可以说因为地球上的生物已经适应了这种压力，只有在这种压力下才能生长得好。

不知道你在学校有没有做过这个实验——先装满一杯水，在杯口盖上一张纸，再把杯子倒过来。你会发现，那张纸和杯里的水，居然能不倾泻下来。这是因为大气的压力。

还有项比较复杂的实验，是把一个空心的铁球切成两半，合起来，抽掉其中的空气使铁球的两半紧紧吸在一起，据说即使用十六匹马都拉不开。这个有名的"马德堡半球实验"，证明了大气的压力。谁能想到，我们赖以生存的空气，由地面向上延伸六十到三百公里，也把它的重量狠狠加在我们身上。可是，我们不是活动得很轻松吗？那是因为我们的体内，相对地产生压力，两个压力抵消，就没感觉了。

我在电视里看过一个台湾的政界人物，早年做政治犯在监狱的时候，常自己孵豆芽。一大把豆子，泡在杯里，居然愈被压在下面的豆子，长得愈肥。他提到这事，就是因为受到启示，撑过困苦的日子，东山再起。

我自己也有经验——每年秋天，我会在地上挖一个个深达六英寸的坑，把郁金香的鳞球放进坑底，再盖上厚厚的泥土。每次一边盖土，我一边想："娇嫩的郁金香，为什么得种这么深呢？它们怎么有能力冲破这么厚而且冬天冻结的泥土，在早春绽放？"只是，一年又一年，它们都及时探出叶片、露出花苞，绽放出彩色玻璃杯般的花朵。

当然，我也偶尔发现有些因为力量不足没能钻出泥土而死亡的。看到它们终于萎缩的球根，我有着许多感慨：它们不就像人吗？有些人很有才气、很有能力，甚至有很健康的身体，却因为受不了压力，而在人生的战场退缩下去。他很可能是参加竞选的政治家，实在受不了精神压力，而中途退选。他很可能是花几年时间，准备参加世界运动大赛的选手，却因为承担不了太多人的属望，唯恐失败之后，难以面对全国同胞，而临场失常，败下阵来。（当然因伤退赛是可以谅解的。）

他还可能是每天把高考挂在心上的好学生。当那些功课不如他的人，都准备上场一搏的时候，他却宣布："我痛恨考试，为了向这考试表示抗议，我要拒绝高考。"他确实可能是特立独行的人物，敢于向他认为不理想的制度挑战。但是，我们是不是也可以这么想——他是因为太怕失败、受不了压力，而选择了不应战。

你看过城隍爷出巡的仪式吗？那真是精彩极了！掌管地府的城隍爷在前面威风凛凛地前进，后面跟着一批青面獠牙的小鬼和背枷戴铐"被打下十八层地狱的恶人"。在很多地方，那游行队伍中，一边走一边被打的恶人会愈来愈多。因为一路有许多人，化装成罪犯加入。据说这样可以作为忏悔，帮他消减一些罪恶。但是据心理学家研究，他们实在是怕自己死了之后下地狱，所以先主动"下地狱"。好比原始人类怕狮子、老虎，反而把狮子、老虎画成壁画。也可以说，面对恐惧时，他们不但没有采取积极的态度，反而俯首下来，任凭宰割。

同样的道理，很多人有恐高症，站在高处往下看，就心惊肉跳。你问他有什么恐惧，他会说"害怕"。你再问："你不是站在很稳的地方吗，有什么好怕？"他可能说："我觉得自己会跳下去。"

不敢面对压力，或实在无法忍受压力的时候，就消极地逃避，甚至向那压力去靠拢、屈服。这是多么可悲的人性啊！连小孩子，都会用装病或弄伤自己，来博取大人的同情。连成人都会因为不敢面对工作压力，而装病不上班。他们哪知道，如同面对大气压力，最好的方法，是由体内产生相对的压力，使它两相抵消，觉得轻松。

最近读到两个人的报道，都谈到压力。

一位是上世纪八十年代，以十七岁的年纪，勇夺温布尔登网球大赛冠军的德国网球好手——贝克。他说如果时光倒流，他真希望当年输掉那场温布尔登赛。因为自从他拿了冠军，大家对他的要求愈来愈高。只要一场失利，就嘘声四起。贝克感慨万千地说，大家好像只记得他是温布尔登的冠军，却忘了他还是个青少年。

另外一位，是伟大的音乐家伯恩斯坦，他曾经对一群年轻的音乐家说：

“你们要想成为伟大的音乐家，不仅在于你多么勤苦的练习，更要看你走上台，面对观众的强大压力时，是不是能一下子把所有的恐惧与犹豫全甩到一边。由内心产生一种特殊的力量，一种不信你办不到的力量。那力量，使你成为大师！”各位朋友，压力有着非常特殊的滋味，如同云霄飞车，你可以转身离开，去玩简单的，也能硬着头皮坐上去，再在尖叫之后轻松地离开。

如果人生像个游乐场，你打算怎么做？

# 第17篇 SUCCESS

## 良知不能妥协

良知有时候会牺牲，如同救人的人常常自己先死了，被救的人还不知感恩。但是人的伟大，就在于对良知的坚持。最起码不能为自己昧于良心的行为找借口。

最近台湾有个引人注目的社会新闻——南部一个收容一百三十多位残障人的育幼院居然被纵火，不止纵火一次，而是连续十次。事情发生，引起各界的同情。我有个朋友很有善心，一听说立刻交代他公司的员工捐给那慈善团体一万块钱，糟糕的是员工没弄清楚，把钱捐给了台湾北部的一家同名却无关的慈善团体。他知道了，又拿出一万块，捐给南部的那个育幼院。事情多完满！可是没过多久，新闻出来，南部那个育幼院十次被纵火，有九次是院童烧的。这下子，员工们反映了，骂老板实在太笨，这次得到教训，以后别做烂好人了。

说到这儿，请问各位，如果换作您，您怎么做？四处告诉大家慈善团体常常有鬼，别做冤大头，还是认倒霉？

我这位朋友没这么做，他说：我捐的钱是给那些残疾院童的，就算院方的管教有问题，可怜的院童总该被帮助啊！接着又去捐了几个慈善团体。

好！先把这事儿放下，让我再举几个真实事例。

我小时候常常跟我母亲去做礼拜。别看我那时候才上小学，但是耳朵挺灵，眼睛也不差，好些事情到现在都记得一清二楚。

有一天礼拜完了，一群教友走出教堂，门口有个伸手乞讨的人，腿上缠着纱布，布上渗出血迹，看起来很可怜。我说要给他钱，几个妈妈却一齐摇头说不能给，因为八成是装的！给他钱，他会拿去喝酒。

又有一次，是我母亲对我转述的，说有一位开面包店的太太很不安地对她说，明明知道有一种东西对人体有害，但是不加在面包里，面包做得不漂亮，又因为膨胀得不够大，比较费料，没办法跟同业竞争，所以只好还是加。

过了四五年，我上高中，常去台北近郊碧潭划船。那地方很妙，潭水好像很平静，其实有不少暗流，尤其下游水位落差大，水流非常快，生手不小心划到那里很容易翻船。有一天我在岸上，听见潭面有人喊救命，一条小船正在激流里挣扎。却见岸上的船家站在水边喊："救你可以！多少钱？"谈妥了才去救。我后来问船家，救人要紧，为什么要钱？船家理直气壮地说："我以前也都是义不容辞地跳下去救，救上来有时候连谢都没一声，人就跑了。我凭什么一次又一次冒险下去救？我淹死了谁管？所以我开始讲价，而且愈往下价钱愈高。"

再过了好多年，前面不是提过吗？我有位同学找不到工作，帮货运公司每天一早由台湾北边的基隆押车到南端的高雄。有一天，他对我说，因为每天天不亮就出发，在路上常看见夜里骑摩托车碰到马路坑洞摔倒受伤的人，躺在马路中间。我问他："你救了几个？"他说一个也没有。因为大家都知道不能救这种人。

你救他，他反而会抓着你，说是你撞他或害他摔倒。还说，所有的车子都绕着开过去，没人敢下去救。

他的话让我想起，好像某地方的渔民也有类似的想法。说救溺水的人，有一天反而会被淹死。因为水里有鬼，他原先要拖下去的人被你救了，改天他就会来拖你。

各位读者，你知道我为什么提这些故事吗？因为我听说在南京有个年轻人，送一位被撞倒的老太太去医院，反而被老太太告，说是他撞的，法院还判他要赔偿。事情真相，我不清楚，也不能妄加判断，但我知道有不少朋友在网上骂，说以后再也不敢做好人了。

请问，这样对吗？什么叫“人饥己饥，人溺己溺”？什么是“见善恐不及，见不善如探汤”？什么又叫“明知不可为而为之”？“善”是没条件的，今天你看见一个小娃娃从眼前跑过，啪的一下子摔倒了，你马上把他扶起来，是当然的。你会先想，我扶他，他爸爸、妈妈、爷爷、奶奶会谢我，所以扶吗？还是因为想，只怕我扶了，他家大人会以为是我害娃娃摔倒的，所以不扶？这两者确实都有可能，但是，“善”是人人应该有的直觉反应，连这直觉的良知都要犹豫，都有条件吗？

暴虎冯河是不对的。如果你不会水，当然不能贸然跳下深水救人。连我美国的邻居老太太都警告我，如果听见她尖叫救命，千万别过去，因为歹徒可能手上有枪，我要做的是“报警”，不是白去送命。

问题是，为什么有些人非但躲起来不报警，还像做宣传似的，一个告诫一个，别去帮忙、别去捐助，免得被骗、被害？这非但没有行善，反而是行恶啊！更严重的是：为自己没有行善，找个冠冕堂皇的理由或借口。

再进一步想，为什么有些人会有迷信，认为别家的新婚夫妇到自己家住，会抢走家里的喜气？解决的方法则是收红包。你可以讲，那是很早以来就有的迷信，但是为什么不说是因为人们不愿意平白招待外面的新人来家里住，于是编出这么个“禁忌”当借口呢？结果一路传下来，这借口变成习俗、变成当然。

同样的道理，我前面说的（包括我母亲在内）那些妈妈们、开面包店的太太，以及我那位押车的同学，他们是不是也都为自己的行为找了个借口？以此往下推，今天许多行业是不是都有“潜规则”？说大家都添加某某玩意儿，我不加就活不下去、无法竞争，所以非加不可。只要不被抓到，就昧着良心继续干。

当我们抓到某种有毒食物的时候，见到的只是个案。真正的问题在于社会缺少良知。而良知最有用，因为它不会妥协，它会在心里自己监督自己的。

不错！良知有时候会牺牲，如同救人的人常常自己先死了，被救的人还不知感恩。但是人的伟大，就在于对良知的坚持。最起码不能为自己昧于良心的行为找借口。

套一句台湾某著名慈善家的话——“我知道捐助南亚海啸灾民的钱，可能被贪官污吏吃掉一大半。但我不做，灾民就连那一小半也得不到了。面对可悲的人性，我们行善的时候确实要选择、要监督，但更重要的是不能逃避，而要当下积极地去做！”

# 第18篇

## 别被手机控制了

请问各位年轻朋友，你就那么“便宜”，随叫随到，随时待命，没有自己的矜持，不必给自己留下空间吗？你这样做，非但不能提高自己的身价，而且当你做功课、念书的时候，放个随时会响的小东西在身边，反而可能大大影响你的专注力。

我常常忘记带手机，最近有一天跟朋友出去，车子开出好远了，突然发觉手机还留在桌子上。正要叫朋友转回头，一摸口袋，居然带了。我就说：“奇怪！明明记得留在桌上，怎么会进了口袋？”我那朋友一笑：“你上路了！手机好像长在身上，赶得上新新人类了。”

我问他为什么这么说，他说：“你不见新新人类，个个手机不离身吗？好像以前的武侠，出门一定要带宝剑，新新人类绝不能没有手机，称得上是‘机不离身，身不离机，机在人在，机亡人亡’。”

我发现最离不开手机的，不是那些企业界的大老板或高官（他们往往有跟在身边的人接电话），反而是不大不小的年轻人。在马路上应该注意车子，却常见年轻人一边打手机一边过街。要进家门了，明明家里有电话，他们却躲在墙角打手机。连回到家，明明自己卧房就有电话，他们还是要用手机。当父母骂他们打手机花太多钱的时候，还强辩，说都不是他打给别人，是别人打给他。

大概很多家长都会奇怪孩子为什么离不开手机，很简单！因为他们怕孤独。或许你要说：他们明明在家，怎会孤独？这就是不了解年轻人了。我在《世说心语2——刘墉教育秘笈》里再三说过，当孩子大了，要一步步走向独立。他们好像由浅水区游泳，进入深水区，为了逞强，不要父母在旁边，可是又怕沉下去，这个莫名其妙的不安，使他们总要拉着朋友讲话。

或许家长要说，好好的家里电话不打，为什么非打手机不可？这时候我要问，为什么学校里有一堆社团，班上有一堆同学，年轻人还爱搞小圈圈？因为小圈圈比较亲密，不但亲而且密。打家里的有线电话，太没亲密感了，大人随时都可能拿起分机偷听。别人打来，可能大人先接；打给朋友，也可能有家长先审问，搞不好还偷听。当然打手机好，要接就是那个人接，而且没有分机。

只是，我在这儿要转过来问年轻朋友，你们为什么不设定开手机的时间，而总开着手机？就算不响，也开振动。难道你那么“便宜”（cheap）吗？对！请原谅我用“便宜”这个词。你想想，两个人，一个人你随叫随到，另一个你不容易找到。你跟哪个人联系上，会特别高兴？连女生交男朋友都懂得矜持，你们为什么不懂得矜持？

这么说，或许还不够清楚，再举个例子吧！如果一个国家到了下班时间，除了百货公司，多半的商店都关了，另一个国家，每个商店都开到深夜，你想，哪个国家比较富裕？哪个国家的人比较重视自己的私生活？同样的道理，进步的现代社会，到了礼拜天，是很少有人为公事打电话的。因为每个人要有自己的私人时间，也得尊重别人的私生活。

那么请问各位年轻朋友，你就那么“便宜”，随叫随到，随时待命，没有自己的矜持，不必给自己留下空间吗？你这样做，非但不能提高自己的身价，而且当你做功课、念书的时候，放个随时会响的小东西在身边，反而可能大大影响你的专注力。加上如果你为了怕父母知道，要偷偷接、偷偷打，那种提心吊胆更不知道会冤死多少细胞。

还有，你想想，那些到下班时间一定打烊的商店都会饿死吗？如果只有一家到时候打烊，别人都开到子夜，没错！早打烊的确实生意可能差些。但是当每家商店到时候都打烊，成了惯例，要买东西的人都知道在商店开门的时间去光顾，结果生意一样，开店的人也能享有较多私人时间。你们何不也大家约好，只在某一个时段开手机呢？

我也要对做父母的人说，你知道台湾在日据时代，扒手被抓到，日本警察常常以剁手指作为惩罚吗？结果不但没多抓到扒手，只怕还有好多失手的被人民放了，为什么？因为惩罚过重！被扒的人不愿意看见扒手被剁手指。

同样的道理，如果父母发现孩子怎么骂，都改不了打手机的毛病，家长一方面要想孩子是不是太孤独，亲子是不是缺少沟通，造成孩子有心事，非找同学诉说不可，另一方面要想想自己是否管得过严，造成孩子不敢光明正大地打有线电话，非得偷偷摸摸拨手机。我建议家长试试跟孩子建立互信，有电话来，让他先接，就算你接，也不多问，尤其当孩子通电话的时候，绝不可以偷听。

请不要怨我会把孩子惯坏，要知道既然你让他拥有手机，又不忍没收他的手机，在当今这个时代，堵不住，不如疏浚。

还有，各位年轻读者，你既然有手机，别只用来打电话聊天，而要知道用手机保护自己。当你一个人走夜路的时候，把手机拿在手上，甚至先设好紧急的号码，只要觉得有不寻常的情况，就拨通或装成打手机的样子，是很有吓阻效果的。你也要记得总把手机放在床头，遇到地震或特殊情况，用来求救。

对了！不久之前台湾有个幼儿园的小朋友，跟着爸爸上山，爸爸受伤昏迷，天黑了，伸手不见五指，山上没有信号，那小娃娃居然用手机来照明，走出山求救。这个娃娃多棒啊！他没打手机，却用手机救了爸爸的命。

## 为时间留点白

紧锣密鼓、见缝插针绝对不是最好的节奏，真正懂得用时间的人，反而是有疏有密，在密与密之间留空白的人。

曾经有一位高中生问我，他说他很用功，天天读书，几乎从不出去玩，他又不笨，读书效果却不见得比那些不用功的同学强多少，为什么？相信很多人都有这样的困扰。好！让我先举两个例子吧！

最近有个画廊邀请我去开展览。我说我的作品不多，画廊又那么大，不成。画廊老板说："那正好啊！有些画家拿一大堆作品来，我还会叫他少展几张呢！不要以为挂得愈多愈能卖，错了！挂得密密麻麻，反而让人觉得不值钱。而且欣赏画，需要空间。你想嘛！如果长十英尺的一面墙，中间只挂一张三英尺的画，你站在前面，左右都是空白的墙，是不是特别凸显中间那张画？你也更能集中精神、静下心去欣赏！相反，如果一下子挤三张画在那面墙上，是不是差多了？"

我有一阵子在不同印刷厂连着印了好几本画册，发现其中一家价钱贵不了多少，印出来的东西却好得多。有一天，就对出版界的朋友提起这件事。朋友一笑说："其实那几家印刷厂用的都是德国同一个品牌的机器，师傅的水平也差不多，唯一不同的是印得特别好的那家厂房很大，机器和机器之间距离远。别看那一点差异，空间对印刷工人非常重要，好像他们的精神都会好些，做事也比较有条理，印出来的东西当然不一样。"

先提这两个故事，是要谈谈怎么为时间留白。

很多年前台湾流行一首歌，好像是"城市少女"唱的，歌名是《青春不要留白》。青春确实要把握，不可虚度、不能留白，问题是真正会使用时间的人，反而应该懂得留白。

这么比方吧！在数学考试的时候，常常附带空白的计算纸，有的人为了抢时间，心想反正那张白纸地方大，所以随意这边算一算、那边算一算。起初字写得很大，后来空白的地方愈来愈少，只好往空下来的缝隙里写，有时候甚至不得不重叠到前面写的东西上面。请问，如果跟那些做事严谨，由计算纸的一角开始一板一眼计算的人比起来，哪个人比较不会出错？那些有计划的人，从一开始就控制字的大小和计算的位置，很可能题目都答完了，还剩下一大块空白的计算纸。

用时间也一样，很多人看起来总是很忙，但是乱忙、瞎忙，到头来错误一堆，什么都办不好，另一种人做事看起来很从容，速度也不快，却都能按时完成。这一方面因为他们能力不同，更因为用时间的节奏不一样。紧锣密鼓、见缝插针绝对不是最好的节奏，真正懂得用时间的人，反而是有疏有密，在密与密之间留空白的人。

每年到了感恩节，美国大学多半会放长假，很多孩子除了回家过节，也会结伴出去旅游。问题是感恩节后一个月，又是圣诞节了。圣诞节前往往是期末考试，也可以说感恩节完了，过不了多久就是考试，造成很多学生有出去玩还是留在家K书的矛盾。

我以前在美国大学教书的时候，曾经作过一个调查。在期末考试之前，问学生谁出去度假，谁留在家用功。然后记下来，跟那些学生期末考试的成绩比对。按说牺牲假期用功的成绩会好得多。事实证明平均起来，他们的成绩确实比较高。只是我年年作完统计，年年发现，就算高，也高不了多少，有时候甚至不相上下。为什么？我想一方面那些出去玩的学生很可能因为平常早有准备，胸有成竹，所以敢先去度假，再回来狠狠K书，应付考试，也可能因为他们虽然准备考试的时间不长，却心里知道不能拖了，结果注意力集中，加上才度完假，精神状态较佳，读书效果特别好。

中国有一句俗话——“起个大早，赶个晚集”，相信很多人都有这样的经验，早早起床，原本认为一定能很从容地出门，却因为东摸摸西摸摸，到头来还是匆匆忙忙往外冲，搞不好还迟到。我猜那些留在家里猛K书的学生，他们也可能心想时间充裕，看起来用功，潜意识却没有百分百集中精神读书。

读书是有高低潮的，有时候你明明很用功，却读不下去。有时候你为了应付考试，尽了全力，甚至累得想哭，出来的成绩却好不了多少。这时候你可能把问题全归到自己不够聪明或考运不好，其实很可能因为你用功过度、用脑过度，就像画廊把画排得太密，印刷厂把机器摆得太紧。那些画作、印刷机、欣赏画的人和印刷工人完全一样，出来的效果和感觉却可能差很多。这时候，你应该先把心放下，回头想想，自己的问题是否不在太松，而在太紧。你好像在一个瓶子里塞东西，一心只想多塞一些，结果真需要的时候，别人都一倒就倒了出来，你的瓶子却因为太满，而倒不出，就算倒出来，也断断续续、不畅快。

时间需要留白，大脑需要休息，人生不能过度死心眼或勉强。当你发现走到了死胡同，如同作家走到了“高原时期”，需要的是喘口气，而不是硬干。正所谓“死读书，读死书，读书死”，如果你钻进牛角尖出不来，身心会出问题的。

我常常想起以前当电视记者的时候，一条新闻接着一条新闻采访，还要赶回公司播报晚间新闻。回到家想写文章、画画、读书，脑子却已经不知怎么用，不是脑里没东西，而是拿不出东西，也塞不进东西。这时候，我需要把自己完全放松，听听音乐、打打球、聊聊天，还常跟太太一起散步几公里，去夜市吃小吃。回来，夜深人静，可能灵感自然就涌现了。

自认为尽了全力，却事倍功半的朋友，请试着“放下”！放松心情、放缓步调，出去玩一玩、动一动，为你装得过满的瓶子留点空位，为你的时间留些空白。不要怕休息，休息是为了走更远的路！

## 奉献的树

"物竞天择，适者生存。"这"适者"不一定是占有者、胜利者，而是能与周遭生物"共荣共存"的。

最近台湾有个很有意思的新闻。一个建筑商为一所研究院建农业科技大楼，因为弄死了一棵三十年的老樟树，不得不赔偿二十万元。我觉得这个消息很有意义，因为研究院在跟建筑商签约的时候，特别列了"护树条款"，显示他们对树木的爱护。樟木，就算百年的老树，在台湾也处处可见，但是如同该院一位名叫陈章波的研究员所说："如果我们连一棵树都照顾不了，如何照顾学术？"

这让我想起小时候，我家院子里也有一棵百年的老树，我常爬到树上玩。邻居小孩把球扔进院子，也常翻过墙头，攀着那棵老树，到我家捡球。有一天，家里不知为什么，把大树砍了。我看着那剩下的半截树干好伤心。过了几天，更伤心的事发生了——家里失火，一下子烧成平地。

后来，一位会看风水的朋友对我母亲说："都怪你呀！好好的，为什么把树砍掉呢？树长得不对，可以坏风水；长得好，可以养风水。你家里的气，全仗这棵大树聚着。供还来不及，怎么能砍呢？”

对他这种迷信的说法，我很是反感，只是觉得看惯了的大树，一下子空掉，很不舒服，也有点不安。倒是另一位朋友说得比较有理：“树石、花鸟，跟人都是息息相关的。我们一天到晚生活在当中，我们的‘气’感应了它们，它们的‘气’也感应了我们。经过长久的相互呼应，不适合有大变动。你以为只砍一棵树，其实树上的小鸟没了窝，各种昆虫没了家，下面的苔藓没了遮阴，习惯于树荫的房子少了遮蔽，连你的眼睛都不习惯，这影响可就大了。”

最近美国联邦政府对自然生态作的一项调查，也说出类似的道理。作调查的生物学家说：“我们不止失去几种生物，而是失去一大批、一大批的生物。”他说的正是那种“连锁效应”，因为一种植物或动物的死亡，会造成连锁的影响。

美国国家地理频道也曾经拍过一群生物学家，用绳索垂降到夏威夷的悬崖上，拿着收集花粉的刷子，为一种植物的花朵进行“人工授粉”的工作。这原先应该是昆虫做的事啊！想想，一只小虫，从这朵花飞到那朵花，多简单？何必劳驾这群人，冒着生命危险，在几百米甚至几千米的悬崖上劳作呢？只因为那种昆虫已经永远从世界上消失了。生物学家如果不做，那稀有植物也会很快消失。

今天人们错误的一小步，常要后人的一大步去补救。问题是，我们能这样做多久？又做多少呢？因为人类的贪心，而让生物永远消失，是我们的耻辱。更严重的是，很多为植物传递花粉的昆虫，像是蜜蜂，这两年都在快速地减少，别以为它们是小东西，要知道没了蜜蜂，很可能造成农业减产的灾荒。

最近在美国公共电视上，看见有关骆马（Llama）的报道，也让我很感慨。骆马是生长在南美洲安第斯山的一种动物。它们有着长长的颈子、小小的头和细细的腿，又因为肺功能强，使它们能生活在五千米的高山。印第安人认为骆马是上天的恩赐，因为它们不但肉可以吃，奶可以饮，毛皮可以穿，而且能帮人驮东西。有意思的是生物学家说，骆马的嘴长得很特殊，它们在吃草的时候，不会伤到植物的根，使那些草能很快地再生，也使它们总有的吃。电视里还介绍了骆马软软的蹄子，说那蹄子也长得巧妙，既能爬山，又能不伤到山上的植物。使我联想到我家院子里的麻雀。当我春天种菜，把种子撒下去，麻雀立刻飞来吃。可是过几天，种子发芽了，它们就再也不碰。我常隔着窗子偷看，看那些麻雀，在我的苗圃间跳来跳去，发现它们居然能不伤到嫩芽。等嫩芽长大了，结了籽，它们再飞来吃。

难道骆马和小鸟，都懂得"留一手"吗？它们为植物留一步"生路"，也为自己留一步"后路"。这或许也是骆马和麻雀能历经千万年，存续到今天的原因？"物竞天择，适者生存。"这"适者"不一定是占有者、胜利者，而是能与周遭生物"共荣共存"的。孟子说："如果不把细密的网子放进池塘，鱼鳖就吃不光；砍伐树木能找到适当的时节，木材就用不尽。"不也是同样的道理吗？

不知道大家有没有读过契尔·司尔文史丹（Shel Silverstein）的童话书《奉献的树》（The Giving Tree）：

一棵高大的苹果树，荫庇着一个孩子成长。孩子在树下睡觉、捉迷藏，到树上摘苹果，还把名字刻在树干上。孩子长大了，找树要苹果去卖钱。树给了全部的果子。孩子要盖房子，找树要木材。树给了全部的枝子。孩子要到远方去，找树要大块的材料造船。树给了整个树干。孩子年老归来了。“我已经一无所有，”树说，“倒还有个剩下的根，可以给你当椅子。坐下来休息休息吧！”

如果地球像那棵树，是“奉献的大地”，我们会不会是那个人？总是向大地要东西，要到彼此都一无所有。又或者，我们从小小的年岁，就该知道“怎么拿”？

各位想想，让我们小时候攀爬的、给我们遮阴的，甚至给我们果实吃的那些树都还在吗？我们为什么一边种下小树苗，天天浇水照顾，一边在改建房子的时候，又毫不怜惜地把老树砍掉？如果被弃养的孩子，能有人收容，我们是不是也能找个地方，专门收容被弃养的树木，使那些在树下玩耍的孩子，有一天大了，甚至老了，还能去寻访童年的老朋友？我们是不是也能学台湾的那所研究院，在改建房子签约的时候，要求建筑商留给我们“老朋友”一条生路？

在那些老树给我们荫庇之后，也让我们荫庇它们吧！

## 考试与作弊

当一个人有作弊的想法，单单那不安和慌乱，就可能造成更大的损失。

相信只要是上过中学的朋友，都背过《木兰诗》。我以前也背，而且常常引用其中的句子，只是做了些更改。譬如《木兰诗》里一开始的“唧唧复唧唧，木兰当户织，不闻机杼声，惟闻女叹息；问女何所思，问女何所忆……”那一段，我改成：“唧唧复唧唧，苦儿当户读，不闻读书声，惟闻儿叹息。问儿何所思，问儿何所忆……昨夜见发榜，考官大点名，榜书十二卷，卷卷有儿名。”金榜题名了！多棒啊！题名之后要如何？我继续用《木兰诗》里的句子改，成为：“脱我卡其服，着我新西装；当窗抹油头，对镜搽发霜!”

如果问我高中最大的梦想是什么，大概就是高考考上好学校了。如果问我学生时代认为的“美丽新世界”是什么？那绝对是“不用考试的世界”。

这里就来谈谈考试，而且先谈谈考试与作弊。

台湾的学生，早期有句顺口溜：“考试靠作弊，作弊靠运气，运气不好被抓去，总说一句要努力。”大概很少有学生从来没作过弊。说个新鲜事给各位听，我初中的时候，学校门口有个特殊的布告栏，上面列出各班月考的前三名和后三名。那时候月考大概怕老师放水，每次都由不认识的老师来监考。我班上有个同学，如果碰上监考老师特别松，他的名字一定上前三名。相反，如果监考老师特严，他的名字也会上榜，只是到了后三名。

我必须承认，我初三也作过弊，而且第一次作弊，就拿了一百分。事情是这样的，有一天，我同班的好朋友，考英文之前递给我一个小纸条，说：“今天考试，你把答案照抄上去就成了，因为我在老师家补习的时候，已经先考了一次。”我半信半疑，照抄下去，果然考了一百分。问题是，我平常的实力，能及格就不错了，一下子得满分，当然被老师叫去问。还好！我诚实招了，没记过。我当时觉得那英文老师太仁慈太伟大了，衷心感谢他好久。只是后来想通，他为什么不记我过？因为他自己先有错，他自己作了弊，把月考的考卷先拿给去他家补习的学生考。他泄题了，不是作弊吗？还有给我答案的那个同学，他先考过，不也是作弊吗？算起来，三个人都作了弊。

结果，初中毕业，我考上了台北的重点高中“成功中学”，我那跟老师补习，每回月考都名列前茅的同学居然落榜。

我提起这件事，是要强调凡是以取巧拿到好成绩，或通过不公平手段，让学生拿到好成绩的，都是作弊。作这种弊的人，表面成绩不错，其实害了自己。

继续讲！我上高中，又碰到一位擅长作弊的同学，每次考语文默写的时候，他都早早到学校写“板书”。我们的桌子是漆成绿色的，我那同学用钢笔（注意，是用灌墨水的钢笔）把整篇课文在桌上抄一遍。再跳上桌子踩一层灰，免得小抄太清楚，被老师发现。问题是老师看不到，他怎么看得到呢？这可就是他的妙招了！他用哈气的，一哈气，钢笔字的墨迹受潮，会变深。考哪一段，他就专哈那一段。好笑的是，有一回他一直哈，老师听到了，紧张地跑过去问他是不是犯了气喘。

问题是，当他写“板书”的时候，我常常也临时抱佛脚地拼命背，考试成绩还总比他好。可见一个人花心思作弊，远不如实实在在地用功。果然，那位同学高考落了榜，不得不在第二年重考。

再说个高考作弊的故事，这次换了个主角，是我小学、初中一路上来的好朋友。考试之前，他“秀”给我看他做的小抄，旋风装，一折一折，小小的，正好藏在手心。我惊为艺术精品，请他考完之后送给我收藏。高考完了，我找他要，他一摊手，说扔了。因为他那小抄根本没用，到时候紧张，根本找不到要看的东西。走出考场的时候，他看见地上一个只有两个拇指指甲大的小东西，捡起来，也是个小抄本，比他那个精致多了。他觉得很丢脸，加上没考好，一气之下就把原先答应给我的小抄扔了。

接下来还有呢！下一堂考历史，他都不会，想作弊。其中有一题是：“由甲骨文上的朱书墨书，可以知道中国在什么时候已经发明了毛笔？”他不会，一边捅前面一个同学，一边问：“笔是什么时候？”那同学以为他的钢笔没有水了，就隔着肩膀递过一支钢笔。不幸被监考老师看见，走过来。我这同学只好装成钢笔没水的样子往里灌了几滴水。问题是他的钢笔是装满水的，那几滴就流到了考卷上，情急之下手一抹，一大片黑。这一慌一乱，连原先会的题目也答不出了。结果名落孙山，勉强上了个职业学校。又在毕业前一个月被开除，原因是，私自挪用了学生会的钱。

由此可知，当一个人有作弊的想法，单单那不安和慌乱，就可能造成更大的损失。而且如果考试总是作弊，养成投机取巧的习惯，很可能贻误一生。

最后让我说个表面好像无关的故事。美伊战争的时候，有不少乱民从巴格达的博物馆里偷走文物。只见左一个扛了个石雕，右一个抱了个陶罐，从博物馆里跑出来，有人先指责，但是后来变成羡慕，想大家都偷，不拿白不拿，于是也跑进博物馆偷东西，可是才出门，就被抓了。

各位朋友，当别人都偷，你也得偷吗？当别人作弊，拿了好分数，你会后悔自己没作弊吗？抑或对就是对，错就是错，不必羡慕人家的不法所得？

做学问是为自己，不是为考试。当考卷发下来，你都不会，不会就是不会，犯得着作弊吗？孔子说得好："知之为知之，不知为不知，是知也。"还有："君子固穷，小人穷斯滥矣！"今天不会就是不会，犯不着把诚实也赔下去。当大家都作弊，你坚持不作，就算交了白卷，何尝不是风骨？

# 第22篇

## 考场不是刑场

我们常说某人考运特别好，意思是他在考试的时候总能正常发挥。至于考运不佳的，即使平常会答，到考试也可能失常，变成不会了。

我们常说某人是比赛型的选手，意思是这个人比赛时的表现特别棒，譬如平常进球率是四成，上场之后总在五成以上。相反，那些不是比赛型，甚至会怯场的球员，平常进球率是五成，正式比赛可能三成都不到。

我们也常说某人考运特别好，意思是他在考试的时候总能正常发挥。至于考运不佳的，即使平常会答，到考试也可能失常，变成不会了。

这里就来跟大家谈谈“怎么应考”。

我是个很会修理学生的老师，很多平常表现不错的学生，上我的课，都可能在第一次考试的时候出问题。

原因是，我出题很诡。举个例子，当我教“东亚美术概论”的时候提到中国绘画用的蛤粉，是以贝壳磨碎做成的白色颜料。考试的时候，我出是非题，用娓娓道来的方式说：“如果你在水边玩，捡回许多蛤蜊，用烤箱烤过之后，再把那些蛤蜊壳磨碎，加上胶水，可以做成黑色颜料。”学生往往才看一半，就答“对”。没想到我把“白”色颜料改成了“黑”色颜料。

又譬如我出个很短的是非题：“歌德是德国人。”学生很可能想我是顺着“歌德”的“德”，就说他是德国人，千万别中了我的埋伏，就猜是“错”，没想到歌德确实是德国人。

从上面这两个例子可以知道，考不好的人，除了用功不够，常常因为粗心，或者以“想当然”的方式去答题。而且愈是聪明和反应快的学生愈容易犯这种毛病。

所以如果你很聪明，考运却总是不好，要想想，你有没有聪明反被聪明误。

当然这种粗心多半因为紧张，而且当场是很难觉察的。譬如以前台湾的高考为了防止作文题目提早走漏，要等到考试前几分钟才告诉监考老师，写在黑板上。至于考卷上则在作文题目的位置注明：“题目写在黑板上。”居然有学生看看那行字，就以“题目写在黑板上”当题目，洋洋洒洒写了一大篇。而且直到走出考场听别人说，才知道自己犯了大错。

更常见的是碰上考卷正反面都印了题目，粗心的学生只答了一面就交上去，还沾沾自喜，认为他答得快。

前面这两个例子，出错的人虽然当场没感觉，但是走出考场就知道了。问题是，许多人如果没有看后来的标准答案，可能明明粗心犯了不少错，还自以为考得很棒。（碰上这种人，你要小心，因为当他走出考场，大叫容易，很可能令你紧张，心想他觉得容易，为什么你觉得难，结果影响了你考下一堂的心情。）

这世上有两种人，一种人考完之后总说：“太简单了！我考得很好！”等成绩出来却差得多。另一种人，就算考得不错，还是认为很差，成绩出来又总是比他原先想的好。你可以说他们一个是“乐观主义”，一个是“悲观主义”。但乐观主义的那种人，往往也是自认考运不佳的，为什么？因为他出来的成绩总是比他自己估算的差。

上了考场，原先会的都变成不会的人，还有个可能，是书读得不实在。有这种毛病的人，常常不是不用功，反而是早早就准备的。（请注意！这是大家常出现的问题。）

譬如很多学校会在初三或高三，也就是入学大考之前，举办很多次模拟考试，每次设个进度。第一次模拟考试，考一年级教的，第二次考二年级教的，第三次考三年级教的。很多学生也就为了应付模拟考试，拼命赶、拼命念，果然每次成绩公布，都名列前茅。问题是当学生毕业了，上正式考场之前，做整个复习的时候，读读这一样，觉得挺熟了，看看那一样，也感觉挺熟了。直到真正上考场，才发觉原先认为熟的可能都不确定。为什么？因为早先为了赶模拟考试的进度，念是念了，却不够扎实。反不如那些坚持自己的进度，根本不管模拟考试，虽然到高考前一天才读完，但读得实在的人，能够获得最后的成功。

临场表现失常的紧张，也可能不是因为考生自己，而是因为家人。举个例子，我听一位老师说，他有个学生，平常功课好极了，高考却失常。原因是考试当天那学生身为高官的爸爸，为了疼女儿，亲自用公家黑头车带女儿去考场，还站在外面大太阳地里等。问题是，女儿一边考，一边心疼老父，担心老爸的血压高。结果原本会的，脑海一片空白，全不会了。

再举个例子，我自己在台湾参加高考，剩下最后一科了，我老娘怕我体力不够，特别去买了一大瓶健身营养液，要我喝下，大概因为含有咖啡因或什么酸，我才喝下，就反胃，吐了。结果最擅长的一科，反而考得最糟。

古人教画画，有句名言："存心要恭，落笔要松。"意思是平常要谨慎恭敬地准备，真正落笔的时候，则要把画笔放轻松。考试也一样，对家长而言，如果你孩子自己已经很紧张了，你就不必多强调那考试。（即使你只说"放轻松去应考"，也会造成孩子紧张。）对学生而言，你平常外出穿什么衣服觉得自在，考试就那么穿；平常吃什么觉得不错，考试那天也一样吃。千万别到那天，早上先多吃两个蛋、多灌两杯橘子水、多塞一把维他命，中途再由一堆陪考的人硬塞几块水果，搞不好还含上几片中药。结果食物失常，造成身体失常；肚子满满，造成脑袋空空。

记住！想要考试不失常，很简单，就是要有"平常心"。因为你是上考场，而不是上刑场！

# 第23篇

## 如果孩子早恋

这世上的问题常出在你太强调它是问题。举个最简单的例子，蚊子叮了，痒！你硬是不去抓，说不定就忘了。相反，如果不停抓，愈抓愈痒，愈痒愈抓，搞不好还抓破皮，造成感染。

有位家长问，他隐约感觉今年初二的女儿在谈恋爱，但是学习成绩并没有受影响，他该不该干涉？

我猜这问问题的八成是妈妈。首先，我要恭喜这位妈妈：您运气不错。因为孩子谈恋爱，分了心，多半会对学习有影响。就像京韵大鼓唱的“崔莺莺想那张生，茶不思、饭不想，孤孤单单、冷冷清清”。他们总在心里挂着，不是在网上聊天，就是打手机，又提心吊胆，怕父母知道，甚至深夜一两点钟，还躲在被窝里打电话，当然会影响睡眠和学习。所以我说，如果您的女儿谈了恋爱，还能不影响学习，是走运。当然，也可能因为你们家的观念比较开放，没让孩子那么提心吊胆，让她在精神上的压力小些，恋爱又半生不熟，所以没晕头转向。还有可能，是您家的小姐特棒，什么大风大浪，她都能中心不动，就算“侵略如火”，她也能“不动如山”。假使她真这么稳，您更得庆幸了！

说个真事儿。有一天两位某重点女中的学生对我说，某某（我也认识的）女生谈恋爱了，怎么办？看她们忧心忡忡的样子，好像那女生完蛋了。只是其中一个女生补了一句："不过她的成绩没退步。"另一个女生接着说："好像还进步了。"

请问，那两个女生这么操心，到底谁有问题啊？相信大家都听过这么个故事——甲乙两个和尚涉水过河，看见一个年轻女子，也要过，但是不敢。甲和尚就把那女子抱过了河。两个和尚继续往前走，乙和尚问甲和尚："你刚才抱一个年轻女人耶！"甲和尚没答。走出十里路，乙和尚又问："你不知道刚才抱的是个年轻女人吗？"甲和尚说："我只觉得那是个需要帮助的人，没想到是不是年轻女人，你却走出十里路了，还念念不忘？"

这世上的问题常出在你太强调它是问题。举个最简单的例子，蚊子叮了，痒！你硬是不去抓，说不定就忘了。相反，如果不停抓，愈抓愈痒，愈痒愈抓，搞不好还抓破皮，造成感染。又譬如报纸上常刊登"补肾"的广告，说什么年轻人自慰过度，造成头晕眼花、记忆减退、梦遗阳痿等等问题。你知道有多少小男生就因为被广告吓到，吓了半辈子，甚至一辈子，造成心因性的疾病，影响了婚姻幸福吗？

记得我第一次去丹麦的时候，心想那是"性都"，搞不好街头有好戏看。第一回去德国汉堡的时候，又知道那边有橱窗女郎，心想一定处处有"春色"。问题是，人家的城市闲静优美极了，完全不是我原先猜的那么回事。请问，到底是谁有毛病？是我有毛病啊！

无可否认，如我前面说的，孩子谈恋爱多半会影响学习。这时候你要从两个角度去想。第一，你有没有能力阻止，堵得住堵不住？你是不是在孩子很小的时候就得恐吓他，异性是毒蛇猛兽，使他能早早就躲着所谓坏男生、坏女生？但是，你要小心！你这毒蛇猛兽的恐吓可能影响孩子一辈子！我很诚实地告诉你，因为我母亲在我小时候，不断对我说不可以拿陌生女子给的食物，吃下去会昏迷不醒，被坏女生拐走，我一直到三四十岁，有陌生女人给我点心吃，还会心里怪怪的。

还有一点，你可以堵，但要小心可能造成的副作用。我有个朋友的太太十分精明。有一天女儿放学回家晚了一点，她就冲出去，一路找，果然抓到女儿跟男同学在暗处说话。于是回家臭骂一顿，告诉做爸爸的，老子又打了几巴掌。结果，没过几天，女儿就被车撞了。因为放学之后又跟男生说话，迟了，怕回家挨骂挨打，一路跑，还闯红灯。

也有些家长爱偷看孩子的日记，甚至翻书包。结果道高一尺、魔高一丈，那孩子照写日记，但是写假的。我还听一位家长说，有一回他孩子用调虎离山之计，故意在日记里写要到哪里跟女生碰面。他追去，还躲在杜鹃花树丛里，等了半天，被蚊子叮了一身包，却没见半个人影。岂知孩子早去了另外的地方约会。

在当今这个时代，除非你本事特大，像一些国家已经有了小孩的定位系统，随时知道孩子的位置。还能在书包上加感应器，进学校、出学校，都会自动感应，师长可以上网查看。即使如此，今天的新新人类，还是很难防。围堵不成，不如疏导，灌输他们正确的交友观念。

现在就触及了我说的另一个思想角度。我在前一部作品《世说心语2——刘墉教育秘笈》里分析过为什么美国孩子一般不太受恋爱的影响。因为他们家长不把异性当毒蛇猛兽。男生、女生由小学一路玩过来，可能才小学高年级，就有了初恋的感觉。偏偏那“初恋”因为年龄太小，似有似无，算不得真正的恋爱。这反而有个好处，就是打了恋爱的预防针。当那小男生、小女生经过“似真又假的初恋”之后，长大一点再谈恋爱或失恋，冲击就不大了。相反，如果你的小孩由小学、初中、高中，都躲异性远远的，但是不幸在高二或高三陷入情网，就算那种恋爱只是牵牵小手，只怕成绩也会大受影响。权衡之下，是不是宁可让男生、女生从小就正常交往？也因此，我会对今天问问题的那位妈妈说：恭喜！您真走运，女儿初二交了男朋友，居然没影响到学习。那么就偷偷观察，先别干涉了。说不定这男生能产生“恋爱疫苗”的效果呢！

# 第24篇 SUCCESS

## 大男人·大女人·小学生

一个人可以要帅，可以做大男人、大女人、大少爷、大小姐，但是在那一切权利的背后都是义务。那也是职业道德，即使天下人都认为对，只要你觉得对不起专业良心，就不能让自己通过。

最近我在台北装修房子。当我订的地板材料运到工地时，我的装修工人说木材的颜色不统一，他不愿意钉。我说大概因为是原木，天生不一样，如果勉强过得去，就钉了吧！但是工人还不愿意，说他有他的标准，虽然工钱照拿，但是钉下去不好看，他自己看了会受不了。

这让我想起年轻时候，有一次做西装，师傅亲自送来我家，我穿上，觉得很不错，让我母亲和太太看，也说很好。正要付钱，那西装师傅一摇手，说等一等，又请我把扣子解开，再扣上，问我有没有觉得有什么不对。我说："很好哇！"师傅说："不好，其中一个扣子钉高了一公分半，原来想给您重做，但是我找不到这样的料子。如果您勉强能穿，我不收工钱。"

有一回我印新书，彩色封面的打样（也就是用来校对颜色的样张）出来，我觉得可以，说："没问题，照印！"可是当我拿到印好的成品，却发现跟打样的颜色有差异。就找印刷厂的人问，为什么擅自做主，改了颜色？

那印刷厂师傅指着原先的打样说："不是我印的有问题，是您的打样不对。"我说："打样确实跟原稿不太一样，但是我认为OK，说照印啊！"

师傅居然一瞪眼说："如果你叫我照不对的印，我会不舒服的。打样明明偏红，一看就知道不对，我怎么能印呢？"

我接受了他的说法。因为我想想自己，也有一样的专业坚持。

再说个我的新鲜事。我研究朗诵诗很多年，有一次在台北的艺术馆发表我导演的朗诵诗剧《宋王台畔》。媒体都很捧场，电视公司还特别来拍了一大段。问题是，他们拍，我却不领情，急着赶记者走。因为我那诗剧除了朗诵，还有舞蹈，再配上布景和灯光，当电视记者拍片的水银灯亮起来时，气氛就全没了。电视记者刚走没多久，诗剧也结束了。我忍不住冲上台对观众说："请大家先别走，刚才后半场，被记者的灯光破坏了，我要重演。"于是又落幕、启幕，再演了一遍，只是很多人下面有事，或外面有车等，陆陆续续还是走了一半。你说那场面糗不糗？后来有人怨我，何必呢？原本在一片掌声中落幕，成功极了！犯得着为一小段重演吗？直到今天我还常常想起那一天，想如果三十年前的场面拿到今天，我会不会就算了。

我的答案是："不能算了！我还是会重演。因为那是专业的坚持，也是忠于艺术良心。"对了！现代舞大师林怀民不也一样吗？（我以前还接受他个别指导，演出《武陵人》呢！）听说他不久前因为对现场观众的秩序不满，也曾经当场叫停，重新演出呢！

这里说了这么多故事，是要谈谈什么是专业。专业者是专门以他所从事的为职业，说得俗一点，他靠那事情吃饭，说得雅一点，他能达到一般人到不了的水平，所以一般人不能做，非找他不可。如果再深一层讲，专业的人就如同我前面提到的钉地板、做西装和搞印刷的师傅，他们受过专业训练，心里有一定的准则。别人可能看不出，他们看得出，客户都通过了，专业的人却可能基于专业良心，坚持不过关。

或许读者要说，我不是专业人士，这与我无关。那么请继续读下面的故事。

我有个朋友，标准的大男人，下班回家坐在沙发上，就算看见太太满头大汗地双手提着垃圾往门口冲，也不会过去帮太太把门打开，更别说收盘子、洗碗、做家务事了。尤其过分的是，他每次出差，行囊不自己理，要太太理，少了半样，即使隔着太平洋，也要打电话回家骂老婆。

我非常不欣赏他这大男人的态度，但是自从听说一件事，我对他的观感改了。事情是这样的，有一阵子他失业，足足半年时间，他都没让太太知道，每天照常早上出门、晚上回家，薪水就算是借，也按月交给太太。据说他那阵子四处找工作、四处碰壁，每天在外面灰头土脸。可是他回到家，一点都没表现出来，照样跟太太聊天，跟孩子玩耍。直到半年后找到工作，才说出实情。

再举个相对的例子：我也认识一位很强悍的太太，虽然是家庭主妇，但是个性很强，甚至常常在人前跟丈夫抬杠，让老公下不来台。可是她老公偷偷对我说，他们两口子就算吵得不可开交，到了烧饭的时候，他太太还是会下厨，认认真真做好一桌菜。他太太会先把菜端上桌，再自己一个人关在卧室里继续生气，但绝不会不给他烧饭。

有一天我开玩笑地问他太太，是不是真的如此。他太太一笑说：“我老公也没为了跟我吵架不上班，我怎么能为了吵架不做饭？做个全职的家庭主妇是我的专业，也是我的责任。我要想继续跟他吵架，就先得把自己分内的事做了，否则是我自己先没理。”

我很佩服前面这两位大男人和大女人。觉得他们大归大，但是能够尽责，是自己应该承担的，绝不找借口推给别人。说得干脆一点，他们“有格”！

现在我要问问读这本书的年轻朋友：如果你是学生，你的专业是什么？当你老爸在外面忍辱负重，你老妈早起迟睡扮好妈妈的角色，你有没有扮好自己学生的角色？如果你不能每天专心地上课、认真地学习，却眼看爸爸妈妈为家做牛做马，你惭愧不惭愧？

一个人可以耍帅，可以做大男人、大女人、大少爷、大小姐，但是在那一切权利的背后都是义务。那也是职业道德，即使天下人都认为对，只要你觉得对不起专业良心，就不能让自己通过。

## 第25篇 SUCCESS

### 作文一点也不难

作文的目的是为了陈述事情，只要能说得清楚、感人、服人，就是好文章。

我曾接到很多读者的来信，希望我谈谈增进作文能力的方法。

常听人说作文难，其实一点也不难，尤其在今天这个时代，不再需要“掉书袋”来显示自己的渊博，也不必“之乎者也矣焉哉，用得好了是秀才”地写许多文言虚字。作文的目的是为了陈述事情，只要能说得清楚、感人、服人，就是好文章。所以每次听学生抱怨不会作文的时候，我都问他，你会说话吗？你说话说得流利吗？能把话说清楚、感动人吗？如果他说他能，我就会讲写文章是“我笔写我口，我口说我心”。把心里想的、嘴上说的，照写下来就成了。

请别觉得我说得太简单，不信我举个真实例子。有位学生对我说他文章就是写不好，连写自己说的话，也写不顺。我说是吗，接着拿了个录音机放在旁边，再跟他谈他要写的东西。起初他看到录音机，紧张，说不好，聊久了，大概心想我只是摆样子，于是放松心防，愈讲愈顺。我接着把录音放出来，叫他把其中几段一字不漏地写下来，就成了篇很不错的文章。连他自己都有点惊讶地说："奇怪了！为什么我直接写作，没写两行就把稿纸撕掉重写，结果扔了一字纸篓稿纸，还写不出一段像样的。现在照录音记下来，反而顺了呢？"我就对他说我以前也一样，没写两行就回头读，一不顺，就扔掉。但是有一回，急着交一篇东西，因为赶，硬着头皮写，没时间回头，写完整篇读下来，居然不坏。从那时候开始，我知道写作要克服心理障碍，所谓"打腹稿"，你心里要先想好整篇东西，把道理想通了，再一气呵成地写出来。千万不能一边写一边想，连自己都没想通，文章怎么写得通呢？还有，你要有个观念，写的是整篇文章，不是一个句子。有时候一句不怎么样，组成一段就好了；有时候一段也不怎么样，许多段加起来就好了。如果你才写一句、一段，就急着要表达整个想法，当然写不好。所以写文章可以赶，但是不能急。

文章写不顺还有个原因，是你想得太多。结果一堆东西塞在脑海里，反而不知道怎么动笔了。有些人平常文笔不顺，喝了酒就文思泉涌，不见得是酒让他产生灵感，而是酒能壮胆，原先不敢写的敢写了。酒又使他大脑不那么灵光，这下子反而有个好处，就是平常下笔时，有十个东西冒出来，觉得每个都好，不知挑哪一个，喝了酒，只冒出一个，不必挑地写下去，反而顺畅。

另外，还可以试一种类似"自动书写"的方法，就是任自己的想法自由流动，想到什么写什么，完全不考虑章法、文法，如果用笔写，也可以不考虑字，甚至为了快，字草得连自己后来都难认，也没关系。因为这样最能表现你直接的想法、最没干扰，也帮助你克服想太多、不敢动笔的毛病，等到信心建立了，再放慢速度。

写文章也切忌卖弄。换作以前，教育不普及，你卖弄几句名言典故，还可能唬唬人，当今人人受过不错的教育，网上查资料又方便，从前泡在图书馆三天都找不到的东西，而今手指点几下就全摊在面前，所以更犯不着獭祭堆砌了。尤其注意，不能引了一堆成语典故，却说不出个道理，结果只见到古人，没见到自己。话说回来，今天教作文的老师或改考卷的先生，如果不重视文章的内容，只在词汇上讲究，也是舍本逐末，只会教出一批死背书和套“八股”的书呆子。

一个人说话可以口若悬河，写文章却不行，还有个原因，是因为说话快，写作慢，加上可能碰上不会的字，拼命想或去查字典，就更慢了。对付这一点，首先你可以用我前面说的方法，先录音，再逐字转成文字。其次是要避免在写作的时候被打断，因为你写的已经够慢，如果再被打断，那文思就更不通。你可以先想好一整段，在心里说几遍，说顺了，再不管他三七二十一地以最快的速度写下来。记住！绝不回头、绝不犹豫，就像你心直口快地说话，一气呵成。此外，碰上不会或不确定的字，别立刻查字典，因为那会打断文思，你可以空着，或先用注音，打字的时候，留个空白或放个同音字，等整篇东西完成，再回头一点点改。古人说“意在笔先”，“大胆地下笔，小心地收拾”，就是这个道理。

写文章也要常练习，最好的方法是写日记。你想嘛！一天那么长，那么多事情，你记，一定是挑重点，这有助于你去芜存菁地练习。还有，你要想一整天的事，有助于你回想和记忆，一个不常写日记的人，你晚上要他立刻想起一天中发生的事，多半比天天写日记的人慢些。而且，当你想的时候，譬如想到跟谁打球、跟谁吵架、跟谁吃饭，你眼前会先浮现那个画面，这也有助于你写文章的“意象经营”。什么是“意象”？举个例子，看有些人的文章，画面如在眼前，就是意象好。又有些人，就算写景，看了半天也没概念，就是他缺乏经营意象的能力。古人说：“状难写之景，如在目前；含不尽之意，见于言外。”就是指既有意象又有意念的好作品。

懂得以上几点，你写日记，一开始可以像记流水账，先训练回想的能力。进一步，只记几个特别值得写的，训练自己筛选的能力。再下一步，你可以选其中一件事，譬如别人说的某句话、你吃的某样食物、见到的某个景色去发挥，而且要换个大一点的日记本，使你想多发挥一点的时候，能有足够的空间。这下子，你写短文、长文，控制篇幅长短的能力也会进步。

这里，由“我笔写我口”说到写日记，你说，哪样难？一样也不难！最重要的是，你得按部就班地去实践。那么，从今天就开始写日记吧！而且忙的时候写十几字，闲的时候写几百字，绝不妥协地去做。我保证你作文的能力会大大进步。

# 第26篇

## 人生处处有文章

试着由俗事、小事上面见到美，见到可玩味、可思想的东西，是非常重要的。

谈到写作，一般人都会说有没有灵感，好像文章写不好，不是自己能力差，全怪没有灵感。请问什么是“灵感”？有人认为灵感是灵气、灵思、灵动，甚至跟灵魂有关。我觉得那太抽象了，不如用比较浅白的讲法，灵感是“灵活的感动”。

一个死板的人是不容易有灵感的，你想想“一叶知秋”，才红了一片叶子或落了一片叶子，就知道秋天要来了，那感动灵活不灵活？多愁善感的人一定比较容易有灵感，因为别人还没感觉的时候，他已经感动得泪流不止了。日本著名的文学家厨川白村说“文学是苦闷的象征”，也是一样的道理，因为有感动、有伤痛、有苦闷，想要抒发，于是写成感人的文章。

写到这里，我得叹口气，因为中国的教育太重视升学，学生功课的压力太大了。当学生背着沉重的书包，心里只想着有多少考试的时候，他可能为别人墙头伸出的一枝花或墙缝里长出的几根小草感动吗？更甭说天光云影、竹韵松涛了。唐代刘禹锡的“苔痕上阶绿，草色入帘青”绝不是在忙碌的心情下写出的。所以他说“无丝竹之乱耳，无案牍之劳形”。陶渊明的“采菊东篱下，悠然见南山”也一样啊！他在一开头就说：“结庐在人境，而无车马喧。问君何能尔，心远地自偏。”想要有灵感，先得让自己的心灵自由。

话虽如此，如今升学挂帅，不是一两天能改的。这时候如果你发现自己的心灵已经在高压下麻痹了，碰上作文只会想到课本里的“成语典故”或“名人金句”，很难有个人见解的时候，你要做的是增加自己的敏锐度。举个例子，你现在正在读“世说心语”，眼睛往旁边瞄一眼，说不定见到的是花瓶，你有没有细细看过那花瓶？管它是俗是雅、值钱不值钱，你都可以细细把玩一番，而且就算它颜色俗，造型也不怎么样，你还是可以想办法在上面找到可爱的地方。“万物静观皆自得”，“人情练达即文章”，古人说得对极了。试着由俗事、小事上面见到美，见到可玩味、可思想的东西，是非常重要的。你想嘛！如果随便一片叶子、一块石头，你都能感触、都能联想，碰上作文题目，还会没灵感吗？话说回来，如果你非走到名胜景点，非看到牡丹、芍药不能感动，是很糟糕的，那表示你的感觉迟钝了，甚至就算你还年轻，也显得老了。

老，有个很大的特色，就是不再好奇。你注意，小孩多半爱看卡通片，但是有几个中年人还爱卡通？青少年喜欢科幻片，但是过了五十岁的人，还有几个爱科幻？尤其半百以上的女性，爱科幻的更少。（请注意，这不是绝对，只是比较。）为什么这样？说好听一点，因为人年岁大了，经历不少生活的压力，变得更实在，要看写实的电影才感动。说难听一点，因为人老了，不再灵活，少了幻想，如同皮肤老化，对冷暖变化都少了感觉。所以我说如果你还很年轻，却非名山大川不能感动，你显然已经不够敏锐，有点像老人家了。

我在青少年的时候，很喜欢爬山。台北近郊没什么大山，只有观音山、大屯山、七星山，都不怎么高，也不怎么壮，妙的是，我为那些山写的诗，比我后来游泰山、黄山写的多得多。尤其记得我有一回去台北近郊的乌来旅游，一路上景色虽然不错，但是跟我后来去过的名山大川比起来真算不得什么，可我居然感动无比，回来画了一个长卷，后来被收藏家看中，还拿去请名书法家梁寒操题诗，再送去日本京都装裱。

我后来常想起这件事，为什么少年时，即使很平常的景色都能令我感动？答案很简单，因为我那时虽然见识不广，但是有灵、有感、有行动。我的心灵像张白纸，即使最淡的色彩都能清晰地显现。又有体力、有冲力，将那感动化为行动。

不知你有没有读过辛弃疾的词：“少年不识愁滋味，爱上层楼，爱上层楼，为赋新词强说愁；而今识尽愁滋味，欲说还休，欲说还休，却道天凉好个秋。”那少年太小，没感受过什么忧愁，但为了写词，硬是登上层楼，想要远眺天边，找些惆怅的滋味。可是等那少年老了，问他经历一生，对忧愁应该很有感触了吧！他想说，话到嘴边，还是没说。最后顾左右而言他地说：“瞧！天凉了，这秋天多舒服啊！”

各位年轻的朋友，你喜欢这“欲说还休”的境界吗？没错！那境界是挺高的。问题是当你太世故，世故到没感觉，或懒得说的时候，你也老了啊！

所以我要强调“五岳归来不看山，黄山归来不看岳”，并不可喜，“曾经沧海难为水，除却巫山不是云”，也不值得高兴。因为你经历大山大水之后，已经对小山小水没有感动，人没了感动，人生还能多彩多姿吗？

这里，我由作文讲到感动、谈到人生。但是这并没有离题，因为人生也是一篇作文。有一天我们咽下最后一口气，就是写下文章最后的“句点”。那作文内容的多寡，不在字数多少、年岁大小，而在内容，在于我们离开世界时，有多少感动、多少感悟。

至于你现在要写的作文，也一样。希望灵思泉涌，就在平常训练自己感触身边的小事吧！想想每个在路上与你擦肩而过的人，都可能一生只有这么一次机会，于是那“擦身”也是一种难得的缘；想墙缝里冒出的小草，也是倔犟的生命，于是获得人生的启示。

只要张开眼睛、打开心房，其实作文并不难，因为人生处处有文章。

# 第27篇

## 写作的五大元素（一）

无论说话、写作、采访，先想“人、地、事、时、物”，再加上动态、声音或色彩，就好比盖房子，先要有好的地基和建材，再加上漂亮的装潢设计。

我是一个很喜欢学习的人，当我年轻的时候，在电视台做记者，还是用胶片 film 拍新闻，每次摄影记者拍的时候，我都会问他用什么“光圈”，时间久了，我自己也能判断，甚至能拍了。这样做有两个好处。一个是摄影记者没空的时候，我可以自己上场。譬如有一次采访某监狱，监狱长在采访前先请大家吃饭喝酒，所有的摄影记者都醉倒了，我因为哮喘，不能喝酒，结果别人不能拍，我拍，跑了个大独家。还有个好处是，我可以按照写稿子的方式拍片，使画面跟写出来的内容一致。譬如去采访某大会，我先拍会场外的建筑，再进去拍大全景，再拍主持人说话的特写，再拍贵宾和全场。至于新闻稿则写：某某会议几点钟在什么地方举行，由谁主持，到了哪些人，会议内容如何，以及什么时候结束。

罗列这些，是要谈谈写作的五个“W”，也就是 Who、

Where、Why、When 和 What。前面那短短几句话，已经包含了“人、事、地、时、物”这五大元素，那不仅是学新闻的人一定要遵守的，而且几乎可以用在任何写作上。举个例子，今天老师指着窗前的芭蕉树，叫你以“芭蕉”为题，做个“短讲”，而且连一分钟都不让你准备，立刻要你开口，你能说得好吗？还是结结巴巴，才说几句就停住，因为“想不出有什么好讲的”？如果你是后者，我建议你试着用那五大元素去想想看，很可能就不难了。

举个例子，写“芭蕉”这个题目。你可以想——

“人”是你和你父亲。“地”是窗前。“事”是种芭蕉。“时”是种的时间和不同的季节。“物”是芭蕉。

于是，你可以说：“今年春天，父亲在窗前种了一棵芭蕉，没几个月，就长得高过了窗子。大大的芭蕉叶，逆光看去，绿得像是翠玉。下雨的时候，雨水打在叶子上，滴滴答答，疏疏密密，那节奏真美得像音乐。但是秋天，才冷了几天，芭蕉的叶子就一一变黄，先是黄得艳，好像枫叶一般，接着则成了焦黑的颜色。爸爸说，‘一叶生，一叶焦’，那枯了的叶子就像烧焦的一般，所以称为‘蕉’……我说芭蕉枯了怎么办呢？眼看这芭蕉就要死了啊。父亲则指着树根说：‘别操心！你瞧，这下面不是已经有小苗长出来了吗？老的还没走，小的已经生了，这芭蕉就像人哪……’”

回头看看这篇东西，不是把“人、地、事、时、物”全放下去了吗？再加上色彩和声音，画面就一下子生动了起来。

现在让我们再以“大雁”为对象，把“人、地、事、时、物”和“声色”放下去，作个短文，并且假设——“人物”是“我”。“地”是“湖上”。“事”是“大雁来了”。“时”是“季节的变化”。“物”是“大雁”。

你几乎只要按照顺序，就能组合出一句话：“我看到湖上飞来许多大雁，就知道冬天要来了。”

如果再加上一些想象、声音和色彩，则变得更丰富——

“夜里听见窗外传来嘎嘎嘎嘎的叫声。早上推开窗，发现原来空空荡荡的湖面，一下子多了好多大雁，它们夏天的时候飞到北方繁殖；夏天过去，小雁长大了，天也变寒了，就一起再飞往南方过冬。

“这里的湖，是它们过境的地方，只会待上两三个礼拜，它们就要再一次地远行。所以每年我只要看湖上大雁的来来去去，就能知道春天来了、秋天到了。

“我最爱看黄昏时雁群在天空练习飞翔，它们一边飞一边叫，好像彼此呼应着：‘要跟上哟！别飞丢了哟！’于是我猜，很可能是雁爸爸、雁妈妈在叮嘱孩子，孩子又回答爸爸妈妈：‘放心！我会小心的。’

“我更爱看夕阳中雁群降落，它们早早就开始不再振翅，慢慢向下滑翔，落到水面的刹那，又把翅膀高高抬起，啪啪猛拍。接着水上激起一片波纹，斜斜地映着晚霞，闪出点点金光……”

不是简简单单，无论你用写的、用说的，都能引人入胜吗？

为什么？因为首先你没有忽略“人、地、事、时、物”，又用大雁的叫声、振翅、滑翔以及波光和晚霞，使画面变得生动。

所以写文章不难，人家叫你即席致辞也不难，只要你依照那个路线想下去，就不会差太多。

“人、地、事、时、物”，这是记者写新闻稿时，必须列入的内容。一个粗心的记者很可能写了一大篇运动会的报道，记录了一堆得奖名单，却因为忘了写那个运动会的地点，成为败笔。一个展览的新闻，把展品介绍得天花乱坠，但是如果忘了写展览日期和开放时间，也可能造成很大的问题。无论说话、写作、采访，先想“人、地、事、时、物”，再加上动态、声音或色彩，就好比盖房子，先要有好的地基和建材，再加上漂亮的装潢设计。

读到这里，你还觉得即席演讲和写作有多困难吗？

## 写作的五大元素（二）

写日记的时候，除了记一天当中发生的大事，偶尔也专选一样东西发挥，譬如从当天见到的某个人、听到的一句话、见到的某一幕甚至吃的某道菜下手。

上一篇分析了写作的“人、地、事、时、物”五大元素，并且举了“芭蕉”和“大雁”的例子。读者可能会说那种作文题目不容易碰到，有没有个更平常一点的。我记得有一年台湾的“指定考试”，作文题目是“回家”。这够平常了吧！偏偏当时也有好多学生说不会写。有个学生讲得妙：“回家就像吃饭，天天在发生，回家就是回家嘛！有什么好写的？怎么写都俗气。”

我却觉得“回家”这题目出得妙，妙在它可以大俗，也可以大雅，很能测验出学生的慧心。一天到晚读死书，只知用“掉书袋”换分数的学生，虽然少了用武之地，但是那些脑袋灵活的，却可能表现不凡。话说回来，不知如何下笔的人，常因为不会找路，只要由“人、地、事、时、物”五条线去想，就能发现些“妙点子”。

举几个例子吧！上一篇强调，同一篇文章必须把五大元素放进去，这里我建议读者可以尝试每次专由其中的一个元素去想——

先从“人”的角度想，你可以写自己回家，也可以写爸爸回家、妈妈回家。如果写爸爸，可以说：“长年在大陆工作的爸爸要回来了，爸爸回家是大事，妈妈从好几天前就开始收拾，还叮嘱我把房间整理好。爸爸的飞机晚上到，他坚持自己坐出租车回家，反而让我们好紧张，只要听见关车门的声音，就急着探头往外看……”接下来可以写爸爸回家的脚步声、疲惫的样子、瘦了还是胖了，不是很好发挥吗？

再从“地”的角度想，你可以说：“自从到城里读书，我就有了两个家，一个是城里的家，一个是乡下的家。但不知为什么，每天回城里的家，都不觉得是回家；只有放长假回到乡下的那个家，才觉得身心安顿。大概在外面一个人住，太寂寞，算不得家，只有偎到妈妈身边，看见四周的亲人，才有回家的感觉……”接着你可以写回家一路的心情，带什么回去，最想吃的是什么食物，看到父母那一刻的感觉，不是也很好发挥吗？

再从回家这件“事”来想，譬如你可以写：“每个人都有家，也都要回家，但回的家却可能不同——小时候跟着父母，回家是回爸爸妈妈的家。住校之后，有了自己的家，回家是回宿舍。然后我们找到终身伴侣，成了家，回家是回我和他共有的家。再过几十年，我们老了，可能跟着孩子，回家是回子女的家。终于有一天，我们不得不离开这个世界，则是回到天上的那个家……”

顺着这条路，又可以由回家的“时间”来想，譬如写：“自从上高三，就只有星星月亮陪我回家。每天出门，背对着家，没有心情回头看；每晚归来，已是一片夜色，看不清家门。有一天提早放学，我下午回到家，远远看见家，竟有一种陌生的感觉，因为已经太久没看清我家的房子，居然忘了家门口那棵高高的玉兰花树。回家，本来该是多美的事，但在功课和考试的压力下，我已经麻木，只觉得是回旅馆，睡一觉，又要出发……”

最后由“物”来想。你可以随便挑一样家里的东西入手，譬如门灯，你可以说：“每天傍晚，母亲都会点亮门前的那盏灯。不知她是不是选了特别亮的灯泡，只要我走进巷子，就能在一片迷离的灯火中，看见那最灿烂的一盏门灯，知道爸爸妈妈在等我回家。有时候上了整天的课，考了一堆试，背着沉重的书包，我真累极了，但是只要抬头看见那盏灯，就顿时感到一种温暖，加快脚步，朝家门走去……”除了门灯，当然你也可以由书房的灯，想到父亲；看到厨房的灯，想到妈妈。还可以写一棵树、一栋建筑，甚至一块大石头、一座小木桥，通过那些“物”，说出回家的感觉与心情。

上面我举了许多例子，不是比引经据典，掉书袋、说道理更感人吗？而且它们虽然都写回家，但因为切入的角度特殊，能不落俗。更重要的是，这种思考的方法，使你不会碰到题目乱了方寸，东抓西抓，什么也抓不到，或者什么都想写，结果东写几句，西写几句，失去文章的重心。也正因此，我在前面建议你在写日记的时候，除了记一天当中发生的大事，偶尔也专选一样东西发挥，譬如从当天见到的某个人、听到的一句话、见到的某一幕甚至吃的某道菜下手。

最后我要说，其实在“人、地、事、时、物”这五个“W”之外，还有一个“H”，是“How”，也就是“怎样”。现在你想想“回家”这个题目，可以如何从“怎样”的角度思考？你是怎么回家的？坐公交车？骑单车？爸爸妈妈接？还是走路？跑步？你别说“不可能跑步”。怎不想想说不定就因为你发惊人之语，写你跑回家，而特别吸引人，得到高分呢？

譬如你可以写在学校里知道自己得了什么大奖，急着回家告诉爸爸妈妈，所以一路跑。不知是不是你脸上露出快乐的表情，路上的人都没觉得你遭遇什么麻烦，反而看得出你是喜气洋洋，好像每个人都对你笑，每个人都在贺你得奖。平常每天走的路，景色似乎变得不一样了，你发现路边开了好多不知名的小草花。天边的晚霞那天也特别美，长长的，像是一条彩带……

请问，是不是单单跑步回家的这一路，就已经可以让你大大发挥了？

作文这条路也是如此，只要知道了地址、走对了方向，很容易就能找到目标。

# 第29篇

## 只要格物，就能致知

很多年轻朋友说他们没有灵感，碰上作文题目，不知怎么下手。其实只要懂得“格物致知”，由身边的每样东西，都能悟出一番道理，引申出文章。

有一天我要写一篇有关咖啡的文章，上网查资料，结果我要的材料没找到，却发现好多有意思的事。譬如网上说土耳其人很爱喝咖啡，甚至能用杯里剩的咖啡渣为喝的人算命。

何止用咖啡渣能算命，古人说“见微知著”，从许多小的征象都能看出大的情势。譬如有一派理论说手相会因为使用工具不同而改变，常拿毛笔的人，智慧线自然比较长，总拿锄头、锤子的人，感情线又会比较直，有些能发展成“断掌”。看手相的人只是从那纹的情况来推想罢了。又有一派说法是，任何一样东西，都经过千年万载演化至今，所以在每样东西的上面，都能见到天地间的“理”。即使由溪谷里随便捡起一块小石头，也能推想它过去的遭遇。

上面这许多“见微知著”、“由小见大”，其实都是“格物致知”，也就是从每样东西上去思考、去观察，得到其中的知识和道理。写文章也一样，很多年轻朋友说他们没有灵感，碰上作文题目，不知怎么下手。其实只要懂得“格物致知”，由身边的每样东西，都能悟出一番道理，引申出文章。

举几个例子——

现在我正伏案写稿，眼前看到一把美工刀，我可以用“格物致知”方法写：

“其实美工刀里只装了一个刀片，但是聪明的发明家在刀片上做了许多刻痕，所以当前一段钝了的时候，只要沿着刻痕折断，下面那一段就又变得锋利如新了。至于旧式的刀片，则是平平一大片，常常只因为最尖端不够锐利，就被抛弃。同样的道理，许多人用时间没有计划，虽然时间不少，却只利用了极少的一段，其他大部分被浪费。还不如事先作规划，分阶段办事，来得有效率。”

这不是由小见大，从一把美工刀谈到用时间的方法吗？

好！接着我看见桌上的订书机，也可以用“格物致知”的方法想：

“订书机真是简单又神奇的东西。很难让人相信，那短短细细，看来一点也不坚硬的钉书钉，居然能一下子穿透上百张纸。我看了许久，终于想通：真正的原因，是由于它能把力量集中在两个点上，垂直用力。这世上许多人，看来很弱，也没什么了不得的才具，却能有成就，都是因为他能像钉书钉一样，认清目标、集中全力，不彷徨、不犹疑，奋斗到底。”

这样不是也从订书机引申出人生的道理吗？

接着，我又看到桌上的剪刀，还是可以用“格物致知”的方法去写：

“剪刀看来很锋利，其实不见得。许多非常好用的剪刀，它的两刃都平平的，完全不像刀，也不容易割伤人。但是当那两片金属结合的时候，就成为可以剪纸、剪布甚至剪金属片的工具了。如果人能像剪刀该多好！两个平凡人，只要密切合作，就能把驽钝变得锋利，做出一番了不得的事业。”

读了我写的这一段，如果你不信，可以拿剪刀看看，它们的两个刃确实常常并不锋利，有些小孩用的安全剪刀，非但两刃极钝，而且是用塑料制的，居然也能很轻松地剪纸，不正因为我上面说的道理吗？我甚至在没有剪刀的情况下，曾经用两把直尺，合在一起当剪刀呢！

提到尺，让我想起“圆规”，你也可以用圆规来“格物致知”，譬如我写：

“小时候，每次走过电影院前的广告牌，上面有圆形的图案，父亲都会指着说：‘你信不信？在每个圆的中间，都能找到一个小小的洞眼，那是圆心，是画广告的人为了画圆，必须先固定的。有时候他们的圆规不够大，就先在圆心钉一颗钉子，再拴上线，线的一端绑支笔，拉着绕一圈，就能画出漂亮的圆。’

“听父亲说这话到今天，已经五十多年了，但是每次我经过那样的广告牌都会想到他的话，还有他说的：‘一个人做事要有计划、要有心，想画个人生的圆吗？先定下你的心！’”

你说，这不是一篇既感性又寓理的短文吗？所以写文章一点也不难，只要你如我最近文章中所说的，多读书，而且从“人、地、事、时、物”的方向想，加上“格物致知”的功夫，一定能左右逢源。

最后，让我举个自己的处女作《萤窗小语》中的两篇文章做例子。第一篇是我学生时代从标点符号里领悟的：

生命就像一篇文章，在文章结尾有些人用的是“句点”，有些人用的是“叹号”，更有些人以“问号”来结束。孔子、孟子是圣人，他们建立了自己的思想体系，所以用的是句点；岳飞、王勃，壮志未酬身先死，所以是叹号；至于不知为何来到这个世界，又懵懵懂懂过一辈子的人，只好以问号来结束了。

接下来第二篇，是我从门上格物致知的：

假使心有扉，那心扉必定是随着年龄而更换的。

十几岁的心扉是玻璃的，脆弱而且透明，虽然关着，但是里面的人不断向外张望，外面的人也能窥视门内。二十几岁的心扉是木头的，材料讲究，而且雕饰漂亮，虽然里外隔绝，但只要爱情的火焰，就能把它烧穿。三十几岁的心扉是防火的铁门，冷硬而结实，虽然热情的火不易烧开，柔情的水却能渗透。四十几岁的心扉是保险金库的钢门，重逾千斤而且密不透风，既耐得住火烧，也不怕水浸，只有那知道密码、备有钥匙的人，或了不得的神偷，才能打开。

说了这么多，总归一句话：“万物皆有可观。”只要你肯用心、多观察，俯拾即是妙文佳句啊！

## 跟着眼睛走

自古以来多少伟大的作家，都是用这样一路走、一路游、一路写的方式，完成不朽的作品。

你一定读过不少形容女孩子的作品吧！像是曹植《洛神赋》的“凌波微步，罗袜生尘”，像是白居易《长恨歌》的“回眸一笑百媚生，六宫粉黛无颜色”，都是传诵千古的名句。但在那许多作品当中，我觉得《诗经》里描写庄姜的《硕人篇》写得最棒，因为它不但生动、传神，而且把男孩子看到心仪的女孩忐忑不安的心情都表现出来了。各位想想：它一开头说“手如柔荑”，意思是手像柔荑花一样美（也有人说像芦苇的嫩芽）。为什么他不从脸孔开始形容，因为男孩子不敢直接看女生的脸啊！接着他由手往上看，看到手臂的皮肤，于是说“肤如凝脂”，意思是女孩子的皮肤像凝固的油脂那么丰腴细腻。又往上看，看到脖子，说“领如蝤蛴”，像是木头里白白的天牛幼虫（别吓到了！因为那个时代的人总是见到虫子，也就爱用昆虫形容，像我们今天还爱说的“无恙”，“恙”也是虫子）。现在男生胆子又大些了，往上看，看到“齿如瓠犀”，即像瓠瓜子儿似的整齐的牙齿。说到这儿，你或许想，下面该说眼睛了吧？偏不！一下子跳到女生宽宽的额头，他也用昆虫形容，说“螓首蛾眉”，像鸣蝉一样宽宽的额头(如果你看过蝉，应该记得蝉的两只眼睛长在最前面，接下来有宽宽圆圆的头，那个弧度确实像“大崩儿头”)和弯弯像“蛾子触须”的眉毛。最后才说“巧笑倩兮，美目盼兮”，“倩”是形容两颊很美，有人说是酒窝，“盼”是说眼睛黑白分明。意思是那女生有着美丽的笑靥和黑白分明的大眼睛，多美啊！请问，这篇东西成功在哪儿？在它的形容，更在形容的过程，把动态放在最后。你想想，如果他一开始就讲“巧笑倩兮，美目盼兮”，接下来再形容脖子、额头、皮肤，能有那画龙点睛的效果吗？

这里一开始讲这个，就是要谈谈写作时，怎么跟着视觉走。

从小到大，你一定写过不少游记和参观报告吧？你有没有觉得难写？你可能觉得难，甚至觉得比一般作文还难。因为在你游完一个风景名胜、参观完一个博物馆或工厂之后，有太多东西可写，反而千头万绪，不知从何理起。如果真这样，我教你一个方法，就简单多了。

写这类文章，首先你要决定观看的角度。你可以假设自己是神，从天上俯瞰众生，因为你无所不知，所以能很详细地介绍。譬如你写著名的纽约大都会美术馆，可以这么说：

“闻名世界的纽约大都会美术馆，位于曼哈顿中央公园旁边，第五大道和八十二街的位置。在这个一八七〇年筹建，而今占地总面积达十三万平方米的博物馆里，收藏了埃及、巴比伦、希腊、罗马、远东、近东、亚洲、欧洲、非洲、美洲的绘画、雕塑、摄影、服饰、家具、乐器等，从远古到近代的艺术品三百多万件……”

你好像无所不知，把大都会美术馆从过去到现在，从占地到收藏，一五一十地写出来，让人一看，就对那儿有了整体的认识。

只是这种把自己当做神，好像由天上俯瞰的写法比较难。因为你要无所不知，也就是在写作之前先得搜集很多资料，把它们消化了，再很技巧地编织在一块儿。如果你今天走马看花参观完大都会美术馆，手上什么资料都没有，老师马上就要你写，你怎么可能写得出来呢？

不过你也用不着紧张，因为你可以换一种写法——你不是“无所不知”的神，而变回平凡人，由“从空中俯瞰”改为由“地上走进去”，那不正是你参观时的情况吗？你既然走马看花，只是逛了一圈，现在就回想一遍，再走马看花一次吧！于是你可以写：

“经过中央公园一片浓郁的树林和草地，远远看到大都会美术馆，还以为那是个白色的宫殿。走上几十级宽广的石阶，进入高大的正厅，看到的是各国的游客、四面的石雕与一大瓶一大瓶的鲜花。我们跟着导游先进入埃及部门，看到神秘的木乃伊、石棺和上面千奇百怪的文字。还进入一个有透明屋顶的大厅，在一圈水池的围绕下，中间有个高大的古埃及神殿。我和同学都丢硬币到水池中，许了愿，希望以后还能到此一游……”

多轻松！你什么数据也不必有，不是就能写出一篇生动的游记了吗？而且因为你顺着“真实的回忆”写，娓娓道来、有条不紊，哪里还会不知如何下笔呢？

我建议各位同学，你何不用同样的方法，现在就想想怎么写你们的学校。从你每天上学的第一眼开始，写你一路走进教室的感觉。你的校门、你的老师同学，校园的建筑、花草树木，加上色彩、声音和动态。请不要说这样写像流水账，不高明。你要知道，自古以来多少伟大的作家，都是用这样一路走、一路游、一路写的方式，完成不朽的作品。在后面的章节中，我会为大家介绍陶渊明的《归去来辞》和《桃花源记》，以及跟着视觉走的写作方法，你会发觉陶渊明居然像电影摄影师似的，一路运用灵活的镜头。

# 第31篇

## 废话少说

好好利用时间，除非有必要。你多写一个赘字，就少了一个使文章内容更丰富的机会；你多啰唆一句话，就失去了说一句有意义的话的机会。

虽然我不炒股票，但是我常看股市分析。一方面所谓“手中无股票，心中有股价”，每个人都应该知道大环境的经济情况，一方面我觉得有些台湾的股市分析师很有意思。

有什么意思？是他们常常说了半天，等于没说。举个例子，那分析师讲：“如果今天到十一点，成交量还没放大到一千亿的话，就不排除回档整理的可能。”单单这么一句话，就有“如果”、“的话”、“不排除”、“可能”一堆不肯定的句子。所以有人开玩笑说那些股市分析师是“假设如果还不错，或许可能差不多”。

这种打太极拳的说话方式，真是门学问，记得我三十多年前当记者的时候常常访问政要谈敏感问题，别人躲还来不及，其中有一位却从来都是欣然接受。只是，他可能讲了半天，等于什么也没讲，又让你觉得他好像讲了。

没错！这是外交辞令，算他有本事。但是如果您把这一套用在实实在在写文章，就不行了。今天就来谈谈作文的时候怎样言简意赅。

许多年前，我看过一部美国的爱情电影，片名忘了，但是对其中饰演记者的史宾赛·屈赛却印象深刻。戏里史宾赛爱上一个新闻系的女教授，跑去旁听她的课。女教授考试，先把新闻重点告诉学生，再要学生写成新闻稿。史宾赛没两下子就完成了，交上去。女教授笑笑，认为史宾赛一定是开玩笑，但是当她拿起来，看一眼，怔住了！接着宣读那篇新闻稿给全班听。才几句话，就念完了，但是在那不足百字的文稿当中，史宾赛已经把所有新闻数据都清清楚楚地记录了。

我看电影时年岁还小，不懂，心想什么文章能让那女教授一眼就刮目相看，短短百字怎么能表现出功力？一定是电影瞎演的。但是等我当了记者，每天写新闻稿之后，就愈来愈觉得要想把稿子写得精简，是门大学问。尤其因为我做电视记者，时间有限，主编把每则新闻都限制在很短的时间，常常跑完新闻，进办公室听到的第一句话就是："只给你三十秒哟！今天新闻太多，已经满了！"天哪！我可能花整个下午跑一条新闻，回来只能写三十秒，那不过一百多字啊！这时候就见真功力了！

写东西太累赘，是一般人常犯的毛病。譬如下面这句话——"结果他又还是重复多做了一次。"里面的"又"、"还是"、"重复"、"多"都是类似的东西。只要用原先一半不到的字讲"他又做了一次"就足够了。这里还有另一篇文章：

"有个小男孩，他的爸爸在他六岁的时候就死了，这个小男孩的名字叫大毛，这个小男孩的妈妈只生了他一个孩子，他的妈妈一直没有再改嫁，小男孩家里很穷，但是小男孩很要强，努力用功，成绩从小到大都很好，总拿班上第一名，小男孩后来得到美国大学研究所的奖学金，出了国，而且拿到生化博士，拿到博士的时候小男孩已经是个青年了，那时候他二十七岁。”

乍看，这篇文章还不坏，但是你仔细想想，是不是里面说了好多废话，可以精简得多呢？譬如你可以写成：

“六岁丧父、母子二人相依为命的大毛，人穷志不穷，不但从小总是班上第一名，而且获得美国奖学金，二十七岁拿到生化博士。”

前后比一比！前面那篇文章一百五十多字，后面只有五十六字，虽然相差近三倍，内容不是一点也不少吗？

为什么？因为简化！单单“母子二人相依为命的大毛”这十一个字，已经告诉读者“那是个小男孩，他长在单亲家庭，他妈妈只有他一个小孩，他的妈妈一直没有再嫁……”

还有单单最后两句话——“而且获得美国奖学金，二十七岁拿到生化博士”，不是也足以取代“小男孩后来得到美国大学研究所的奖学金，出了国，而且拿到生化博士，拿到博士的时候小男孩已经是个青年了，那时候他二十七岁”吗？

我们写文章的时候，常常下不了笔，不是因为题材不够，而是因为太多，又舍不得删减。所以有人说写文章就像写字，笔画愈少的字愈难写，字数愈少的文章也愈难写。

相信很多人都读过欧阳修的名作《醉翁亭记》，据说欧阳老先生原本一开头用四十多字描写滁州四周的山，但是后来大笔一挥，只用了五个字——“环滁皆山也”。这有多简单！

还有王羲之的《兰亭序》开头说：“永和九年，岁在癸丑，暮春之初，会于会稽山阴之兰亭，修禊事也。”

上次谈的陶渊明的《桃花源记》则开门见山地讲：“晋太

元中，武陵人，捕鱼为业。”他们都用三四句话就把“人、地、事、时、物”都交代清楚了。多简单！

这世上可以简化的事太多了，只有那些懂得去芜存菁的人能够创造好作品；只有那些知道精简人事的公司，能够有竞争力；只有懂得化繁为简的学生，能够有过人的表现。

著名的美学教育家朱光潜说得好——

“你多读一本没有价值的书，便丧失可读一本有价值的书的时间和精力。”

我要说：好好利用时间，除非有必要。你多写一个赘字，就少了一个使文章内容更丰富的机会；你多啰唆一句话，就失去了说一句有意义的话的机会；你多浪费一分钟，就失去把握这一分钟的机会。

而且你要知道，负一和正一的差异，不是只有一，而是二啊！

# 第32篇

## 小时了了，大未必佳

更糟糕的是，当一个孩子由小到大，一路都在班上拿前几名，上初中或高中之后，却怎么拼命都上不去的时候，会伤到他的自尊和自信。加上父母的责骂，很可能出大问题。

我们常说一个人“小时了了，大未必佳”。这种事很不稀奇，譬如一个孩子小学一年级回回考第一名，二年级掉下去了一点，考第三，三年级跑到第五，六年级成了第七，进入中学更是每况愈下了，很可能高中毕业已经掉到了三十名之外。令人不解的是，这种现象常发生在特别重视孩子教育的人家。这里，我就来分析其中的原因。

首先，如果家里特别重视教育，可能在孩子进小学之前，早就送到很好的幼儿园，或在家由爸爸妈妈教，认识一堆字，甚至连英语都会上几句了。这样的孩子刚进小学，跟班上来自不同阶层的孩子(其中有很多因为家庭经济等等原因，没上过幼儿园，也没人特别教过)在一起。比起来，当然学前教育好的孩子会遥遥领先，有些甚至好到可以当小老师，教那些完全没基础的同学了。

只是这种优势经过一段时间可能会减弱。也不是消失，而是原先“储备”的东西渐渐用光了。因为学校教的东西愈来愈深，已经不是幼儿园或家长能教的了。这时候，那一进学校就拔尖儿的“领头羊”可能不得不让位。

除非家长继续给孩子补习，甚至请孩子的老师到家里，在学校教之前先把孩子教会。搞不好，如同前面说过的，老师在补习的时候，把堂上要考的试卷先拿给补习的学生做过，当然那些孩子考试成绩会比较好。

这样的孩子在小学一路领先，进入初中怎么办？

照办！只要家里有钱，照样请补习老师、进补习班，再不然，家长有本事，每天亲自教孩子。甚至督促孩子做功课，孩子夜里一点不睡，家长也就窝在旁边陪着。所谓“一分耕耘、一分收获”，这样带出的孩子，可能初中还是能够名列前茅，而且可以考进重点高中。

只是当孩子进入高中，常常问题就来了！很多原先优秀的学生成绩往下掉。原因之一，是大家都考进去，程度差不多，又个个拼命，拼不过的，当然得掉下来。于是有家长紧张了，好像碰上孩子发高烧不退，不但看医生，而且看了一个又一个，吃各种特效药，为孩子找各种名师、各种补习教材。只是，小学初中都管用的方法，不知为什么，到高中不管用了。

碰到这情况，做家长的不要一味骂孩子不专心、不用功。你要想想，你下那么重的药，孩子的身体是不是吃得消，又会不会产生抗药性？

高中正是叛逆期，哪个孩子不爱玩，哪个孩子会不分心？你让他整天关在屋子里，补完这科补那科，孩子确实可能抗拒。他们会问你，为什么别人能玩，他不能玩？他不想上好大学、不想成大功，够吃够喝、快快乐乐就成了。这就是“抗药性”！

至于孩子的身体是不是吃得消，首先要看他的天资怎么样。如果他天生能力有限，别人看一遍懂的，他得看五遍，他当然可能落后！

或许有家长要说：为什么小学和初中一补习、一拼命，我孩子就考试名列前茅了？

您讲得没错！问题是，他小学和初中学的东西，能跟高中比吗？举个例子，一个小学生回家之后，如果要花一小时做功课，你可以再给他补两小时。一个初中孩子放学后，要花两小时做功课，你可以给他补习或逼他多用功两小时。现在，上了高中，他学校规定的功课和要背的东西四个小时都弄不完了，你还能给他补两小时三小时吗？就算他吃完晚饭，一分钟也不休息，就开始补习，补完已经十点钟了。接着又做功课、念书，请问，他上床已经几点了？他的功课能做得好吗？何况还有很多该背诵、预习和复习的。

补习跟吃补药的道理一样。你给一个人天天吃人参，就算你有钱，用人参当饭喂他吃，他的身体好得起来吗？补品本身不一定有营养，它的作用是调整身体，帮助身体吸收，如果只吃补药，却不吃正常食物，补什么啊？如果补品是升火待发的车，可以立刻把养分输送给身上需要的地方。只有“车”，却没“货”，又能如何？

结果产生个问题，是补习老师走了，或孩子由补习班回家，已经累得没力气，晚得没时间继续读书了。你补的虽多，他却无法消化，功课能好吗？而且当你塞太多东西，就算进去了，也可能堵在那儿。好比土地不够肥，猛施化肥，施久了，土壤结成硬块，上面的植物更长不好。

从我上面的分析可以知道，孩子小时候，就算天资不足，因为他的时间多，功课不重，学习的材料又少，确实可以用补习和逼迫的方式，让他不落人后。但是当他升上中学，功课愈来愈重，要练习、演算、熟背的东西愈来愈多，而时间相对不足的时候，就后继乏力了。这时候如果你硬逼他，不是效果适得其反，愈逼愈差，就是可能伤害孩子的身心，成为“揠苗助长”。更糟糕的是，当一个孩子由小到大，一路都在班上拿前几名，上初中或高中之后，却怎么拼命都上不去的时候，会伤到他的自尊和自信。加上父母的责骂，很可能出大问题。一个是他自暴自弃、一败涂地，一个是他不断自责，怪自己差、对不起父母。多少悲剧也就这样发生了。

各位父母，请记住补习和逼迫，可能小时候管用，后来不管用。当你发现不管用的时候，要好好回头想想，自己做得对不对？会不会肥料不是加少了，而是加太多了？

各位同学，当你一路走来，都拔尖，有一天突然发现优势不再，先别急！你需要的是与父母坐下来讨论，了解自己，分析问题，想出解决的办法，而不是一味自责。

## 不补习也能很棒!

说实话，如果课本编得够好，学生又够聪明、够勤快，绝大多数的课程，是可以自修的。

相信当过学生的人都有这样的经验，就是你因事请假，几天没去学校，只托同学告诉你有什么功课，然后自己看书写作业，居然没老师教，自己也搞懂了。说实话，如果课本编得够好，学生又够聪明、够勤快，绝大多数的课程，是可以自修的。问题是为什么学生不但要上学，要学校的老师教，放学之后还常常得补习呢?

记得我高中的时候，有一次去看廉价电影。那戏院很简陋，屋顶矮，座位的斜度不够。有些前面的人把书垫在屁股底下，好看清楚一点。只是他们一垫高，后面的人就不得不垫书包，再后面的人则坐在椅子扶手上。你知道我那天在最后面，是怎么看电影的吗?我居然是两脚站在椅子扶手上看的。我后来常想起这一幕，心想，如果从一开始，每个人即使不能看得很清楚，也不随便垫东西，就不会造成后面一堆人倒霉，使大家都能好好坐在椅子上看一场戏。

现在那么多学生要补习，不是同样的原因吗？当大家都补习时，你不补习就难免落后。这是当然的道理，今天你花一小时做功课，别人花三小时做功课，而且补习，除非他比你笨太多，他的成绩当然应该比你好些。最起码，碰上特别深或特别怪的题目，学校老师没教，他在补习班却可能学过，那题他会，你就不会。结果，逼得你不得不补习。所以我不能在这儿唱高调，教大家不补习，因为考场如电影院，当大家都站起来的时候，你不能不站，否则什么也看不到。

这里要强调的是，补习虽然可以加强孩子的程度，但我们应该避免不公平。什么是不公平？举个例子，今天一班三十五个学生，其中三十个在学校教英文之前，早学会英文字母的大小写了。老师会不会因此在一开始就对学生说“你们大概都懂了，我就不浪费时间教了”，结果简单带过？他会为那五个可能家里穷、交不起补习费的学生，像对待一窍不通的孩子一样，悉心教导吗？这就是不公平，对那五个孩子不公平，使那五个孩子可能因为起步跟不上而影响一生，也使穷困人家的孩子更难出头。

别以为你家有钱，使你可以补完这样补那样就是幸福。如同我前面提到的，一个孩子小时候补习，比较有效果，容易名列前茅，但是当你大了，上了高中，学校要做练习、要背诵的功课已经没时间应付了，如果再去校外补习，就可能造成你补了却无法吸收。也正因此，很多小学前几名的孩子，到高中就算补习，功课也好不起来。

或许这么说，还有读者不懂，我就再举个例子吧！

如果你带你上幼儿园的孩子每天练跑步，跑一阵，你孩子很可能成为幼儿园里跑得最快的娃娃。你一路教，他甚至能到小学中年级还跑得比别人都快。但是再往下去，就算你教，甚至请国手教，他还一定会比别人强吗？每个人的身体不同、天资不同，后天再练习，也有难突破的地方啊！读书一样，个人天分不同，不是补习都管用的。没错！“勤能补拙”，但是请问，什么是勤？勤是别人练一分，你练三分，甚至十分，那需要时间和精力，你有那么多时间、有那么多精力吗？别人读到夜里一点，你读到三点、四点，你受得了，又能不受伤害吗？

今天中国家长常犯一个错误，就是认为只要孩子用功，就一定能比别人强。却没想想，当人人都用功的时候，就像大家都站着看电影，甚至站在扶手上的时候，除非你站到椅背上，否则是不可能看得清楚的。所以如果你是家长，只要孩子尽力了，他拼不上去，就不必多责怪他。人各有长，你的孩子说不定长不在此，长在彼。如果你是学生，你尽了力，上不去，也不要怪自己。“天生我材必有用”，你要想想自己有哪些长处，往那里发挥，赢过别人。

还有一点，当你补习效果不理想的时候，也要想想，会不会因为在补习班先学了，造成你在学校上课的时候不专心，结果老师特别教了些东西，你没注意，反而考不好。还有，你想想！如果一样东西，你先花了两小时补习，又在学校用两小时听老师重教一遍，你能做了补习老师的功课，就不做学校老师的功课？又能在学校的课堂上，不听课，去做别的事吗？结果你单单学这样东西，就花了四小时。搞不好去补习班，来回又花了不少时间。相反，假使你上课时专心听讲，回家立刻复习，不是只用一半的时间就成了吗？多出来的时间可以学别的，或自己找些课外的东西，效果不是好得多吗？结果你省了时间、省了金钱，还省了精力。多棒！不信你注意有关高考榜首的新闻报道，那些人常常没上过补习班。他们赢在什么？赢在当天上课、当天复习，赢在专心上课、不拖延，当然也可能赢在天资。就算你天资不及他，最起码前两项可以做到吧！

最后我要说，如果你是老师，发现班上的学生都在课外补习，你要想想，会不会是你教得不够好、不够认真；会不会学生听你讲课，他不懂，出去听补习班老师讲课，就懂了；再不然你教，学生不感兴趣，记不住！补习班老师教，学生就感兴趣，甚至能学到窍门，很容易记住。这时候，你这做老师的能不检讨、能不加油吗？如果你同时在学校跟补习班教课，在学校不认真，到补习班特拼命，你就更差劲了！

至于小学、初中都很杰出，高中却力不从心的同学，我还有个建议，在下一篇细说。

# 第34篇

## 懂得割舍，才能成功

老师开出书单是一回事，你选择哪些是一回事，甚至可以讲，一个人无论做学问或闯事业，会不会选择、会不会取舍是成功的关键。

我记得女儿刚上高中没多久，有一天从图书馆抱回一大摞书，砰的一声丢在地板上，哭丧着脸说："才两个礼拜，怎么可能读完？英文老师还讲，她要给'上吨'的书去读呢！"接着她又抱怨其他科目，说老师给的功课太多了。

我看看她从图书馆借回的书，心想：天哪！就算只把每页翻一遍，只怕两个礼拜都翻不完。

这也使我想起自己刚进研究所的时候，教授开一长条书单，有些在图书馆借不到，只好买，单单买书的钱就差点让我破产。等那摞书摆在面前，更是要崩溃了。很多老师喜欢卖弄学问，好比学者喜欢在论文后面列出参考书目，密密麻麻，让你觉得他们好像学问高深得不得了。问题是，有几个学者真把他自己列的书从头到尾看过？又有几个老师曾经把他列给学生的书单全部读过？套一句俚语，"用膝盖头想都知道"。老师开出书单是一回事，你选择哪些是一回事，甚至可以讲，一个人无论做学问或闯事业，会不会选择、会不会取舍是成功的关键。

当你进入高中或大学，尤其是进入重点学校，必须先谦虚下来，重新评估自己。没错！你从小学一路上来都拔尖，只是现在你还能处处占先吗？你从小都把每本书，包括补习材料一字不漏地读过，是超级用功的好学生。只是现在你还能用同样的方法吗？如果你不知道取舍，除非是超级天才，又会速读，你能这样做吗？如果你还坚持，失败的很可能是你！

我儿子高中的时候也碰到过类似的问题。他有一回做读书报告，读一堆书，读到深夜两点，才开始写，写完已经快天亮了，第二天早上居然爬不起来，没上学，报告也没交。问题是他接着还要交两科报告，由于这一份花了太多时间，另外两科没时间做，只拿B。所以我对他说："你一科就算拿 A+++，别科却当掉，能算成功吗？如果平均安排时间，说不定三科都能拿 A 呢！会读书的人，要懂得计划时间。"

我曾经读过一个叫艾伦·罗丝曼（Ellen Lerner Rothman, M.D.）的女医生所写的《白袍》（White Coat），讲她在哈佛医学院的经历。印象最深的是她提到准备考国家医师执照，同学们都紧张得要死。有位学长教大家在空白的表格上精确地列出复习每一科要花的时间。也就是根据到考试所有的日子来做计划。譬如"组织学"第三章需要二十九分钟，但是"心脏血管病理学"要花三小时又五十八分钟。每算好一科要用的时间，都得严格遵守，绝不多花一分钟，也不少念一分钟。

乍看，多呆板哪！她居然会算出来三小时五十八分钟，何不写四小时呢？不过两分钟之差嘛！但是细想想，到考试的时间已经在那儿，上帝不会为任何人把太阳下山延后一秒钟。要读的书也已经在那儿，不可能不读还考得好。这两大条件既然都那么没伸缩性，读书计划当然也就没有讨价还价的余地。

于是可以猜想，那些医学院的学生，在面对一摞又一摞的教科书、参考书以及攸关前途的考试的时候，一定非常焦虑。鱼与熊掌不可兼得，怎么办？当然是作取舍！假使“组织学”的数据是三百页，准备的时间只有二十九分钟，只好用这点时间大略地翻翻以前写的眉批和重点，甚至看看索引和目录，回想一下上课时学到的东西。

我是学艺术的，每次出去写生，也面临同样的问题。可画的东西太多了，我必须以最快速度先整个绕一遍，接着选好一个“景点”写生。写生之前又得先看看有多少时间。如果是三个小时，我可以用铅笔起稿勾好构图，再细细地画。相对的，如果只有十分钟，只好连草稿也不打，拿起笔就“速写”，而且大笔挥洒，只画大概，不画细节。还有一点就是某些花朵很少开，像昙花一现，没几个小时，这时候我也得知道取舍，把别的事放下，把握机会先去画那难得一开的花。我能死板地说我有计划，这样没做完，绝不做下一样吗？

做任何事，原则可以坚持，手段却要有弹性。我有个学生说得妙，（抱歉啊！请大学老师们别骂我！）他说大学有很多社团活动，常常跟上课时间冲突，非溜课不可。当我瞪他的时候，他还说：“刘老师，你怎不讲如何溜课、溜哪些课、溜了之后怎么跟上，也是一门要学的功课呢？”他说得没错！人生苦短，要学要看的东西太多了，你不能不知取舍。这也好比当数码相机储存卡已经满了，却发现珍贵的景物时，只好把前面“次要”的东西删除，留出空间，抓住更难得的画面。

前面提到最近很畅销的一本书，兰迪·鲍许的《最后的演讲》，兰迪在他生命所剩无几的时候，作了那场演讲，启发了千千万万的人。怪不得《纽约时报》说："作者兰迪·鲍许在人生的尽头，仍不忘厘清轻重缓急。"我也记得前两年在《读者文摘》上看过一篇报道——一个加拿大的农民，被曳引机压住了左手，四野无人，为了保命，只好用随身的小刀，把被压住的拇指和食指切断，多惨哪！一刀刀切开手掌，但那舍不是真舍，而是为了进一步地"得到"，得到生命！

所以为了使自己能在某些科目有特别杰出的表现，每个学生都必须知道舍。选择性地阅读，跳跃式地学习，甚至在必要时，退选一些没有必要的科目。在未来，只有懂得取舍的人，才能站到巅峰；只有能狠心割舍的人，才能够历劫归来。

# 第35篇 SUCCESS

## 单亲又如何?

说单亲的孩子没人管，单亲的孩子缺乏爱，所以容易变坏。照这样说，孙中山、华盛顿、林肯，还有刚当选美国总统的奥巴马大概都是坏孩子了。

多年前我有一天接到一位记者的电话说想采访我，请我谈在单亲家庭成长的感想。“单亲家庭?”我先一怔，但是再想想，可不是吗？只是我为什么从来都没那种感觉呢？

我的父亲在我九岁的时候就去世了，我的母亲跟我有四十二年的差距和代沟，我又没兄弟姐妹。每天放学之后，只好对着院子里的花草和屋子里的猫说话。或许就因为我总是自言自语吧，于是培养了许多想象和自我省思的能力，走上画家、作家的路。

好多作家不都这样吗？他们甚至比我更惨——罗素三岁，妈妈就死了，五岁又死了爸爸，由祖母带大。托尔斯泰一岁半死了妈妈，八岁死了爸爸，由姑妈带大。川端康成两岁死了父亲，三岁死了母亲，住到祖父母家。四岁后祖母死了，只好跟着祖父过，偏偏十五岁时祖父又死了。川端在他的作品《参加葬礼的名人》里说：“祖父出殡的时候，夸张一点说，全村五十家人都为可怜我而落泪。”又说，“大人怜悯的温情，我这个孩子当然明白，只是在小孩心中，反而留下冷冷的阴影。”

这下我了解了。我没觉得自己是从单亲家庭里出来，是因为我周遭的人，没有用怜悯的眼光看我。或许他们不知道我的背景，或许他们装作不知道，也或许他们没有什么同情心，因为那个时代，大家生活得都很苦。但是再想想，这何尝不是我的福气？如果别人都用特殊的眼光看我，只怕我也要像川端一样，留下许多阴影了。

记得一位因为失火而毁去容貌的残障朋友对我说，对他们最好的方法，就是不要用特别的眼光看他们。眼睛掠过他们可怕的脸上，只当看见个普通人。不要问，也别叹气！否则只会让他们孤独、感伤。如此说来，现在社会上，许多单亲家庭对孩子造成的心理困扰，会不会是周围人造成的呢？大家都以不同的眼光看那些孩子，甚至听说，有班上掉了东西，先怀疑是单亲家庭孩子拿的，且编织一些道理，说单亲的孩子没人管，单亲的孩子缺乏爱，所以容易变坏。

照这样说，孙中山、华盛顿、林肯，还有刚当选美国总统的奥巴马大概都是坏孩子了。孙中山十三岁就跟着母亲去了檀香山。华盛顿的妈妈不但是她丈夫的第二任妻子，而且在华盛顿十一岁时做了寡妇。林肯的母亲则在林肯九岁的时候死去。再想想美国前任总统克林顿，还没出生，爸爸就死了。新当选的奥巴马则在两岁多的时候，父母就离婚了，后来只有十岁的时候跟他生父相处过一个月。

这些人都有着所谓“特殊”的家庭，却非但没变成坏孩子，还“增益其所不能”地成为伟大的领导者。是因为大家没有用特殊的眼光看他们，还是即使有人这样看，给他们留下阴影，他们也能化悲愤为力量，创造更杰出的成就？

本来嘛！无论死了父亲、死了母亲，或父亲再娶、母亲改嫁，都是上一代的事，跟孩子有什么关系？每个人都是独立的个体，每个人都是平等的“人”，每个人都对自己负责，何必把上一代的事硬往自己头上戴？

记得我儿子上高中的时候，有一天请朋友到家里玩。他的好朋友马可没来，我问为什么，他说：“因为马可的妈妈跟她的男朋友去佛罗里达度假，马可要留在家里照顾他智障的弟弟。”还有一天，他说他女同学乔安娜的男朋友晚上常跑到乔安娜家里。我说她父母不管吗，儿子回答：“乔安娜的爸爸很多年前就出走了，她妈妈为了多赚点钱养家，只好每天做‘大夜班’的护士，所以晚上总不在家。”当这些孩子提到他们的单亲家庭，一点没有特殊的感觉，也没有一点自卑。他们何必自卑？每人头上一片天，父母是父母，最重要的是：“年青一代”得面对自己的未来。他们功课都棒极了，且以全额奖学金，进入最好的大学。可是，为什么我总接到年轻朋友的来信，恨自己的父母离婚，怨自己是单亲家庭的孩子？是因为他们不能独立，还是因为被双亲家庭的孩子歧视，造成心灵的伤害？

家庭美满的人，不能去歧视别人，而应该感恩啊！何况，有多少孩子虽然父母都在，却难得见面。双亲家庭的父母如果不多跟子女接触，还可能远不如用心带孩子的单亲家庭。从任何角度看，都不应该有所谓谁歧视谁。正如《华盛顿邮报》引述的，美国内布拉斯加林肯大学社会学家阿玛陀说：“许多人说由于再婚、单亲和同居家庭数目的增加，削弱了传统家庭，并造成种种社会问题。这个观点非常幼稚，因为我们的研究结果显示，各种家庭结构都可行，它们确实不同，但不同不一定不好。”

美国联邦政府从一九七七年开始，作全国儿童的调查，连续追踪两千三百个七岁的儿童，一直追到这些孩子结束叛逆的青春期为止。结果也显示，如果把同样教育和经济背景的单亲家庭子女和双亲家庭作比较，几乎没有差异。

每当有单亲家庭的孩子诉苦，我都读这份报告给他们听，并对他们说："不要怨自己单亲。父母的事，子女很难置喙。最重要的，是站稳你自己，面对你自己的未来。"我也对一般学生说："用平常心对待你们单亲的同学，就是一种最好的关怀。"我还要对双亲家庭的父母说："别忘了你的孩子，别让你的孩子好像生活在无亲家庭！"

# 第36篇

## 人生拖不得

如果新学的东西像刚炒好的菜，你何不趁热吃，却搁进冰箱，总吃剩菜？刚出炉的多好吃？刚上过的课多容易复习？何必拖到都忘得差不多了或考试临头才动手？

一九九二年，我的一个朋友，迷信韩国某教派的说法，居然认为他们全家十月会升天。“升天”的前几天，这朋友两口子送来了他们的银行存折、房地契和各种钥匙，说：“我们升天之后，你们在地上还有一段艰苦的日子，这些东西就给你们了。”又叮嘱一句，“对了！升天的时候，我们会在身上挂个名牌，因为世俗的衣服和手表、首饰，全会在升天的一瞬间坠落地面，你们可以去我们聚会的地方捡。”

“升天”的日子终于来了，有人说听见“号角”，有人说见到“异象”，表示他们立刻要被“提升”到天堂。只是时间一分一秒过去，美国警察骑着大马在“聚会地点”隔着窗子往里望，紧张地巡了一整夜。第二天，一群人却还留在地面，没一个升上去。

朋友又来我家拿她的钥匙、存折和房地契。我开玩笑地问她：“怎么没升上去？班机误点了吗？”她倒一点都不觉得尴尬，笑笑说：“没升上去也好，下面还有不少没做完的事。”居然面露得意之色地说：“你知道吗？我以前做事乱七八糟，总是拖。这次为了升天，怕你们善后的时候不好看，特别来个大整理，把该办的事全办了，该还的人情全还了，现在觉得好轻松呢！”

她这话，我很能体会。因为我是一个总在太平洋两岸奔波的人。三个月在纽约的家里创作，两个月在台北的办公室上班。每次我无论刚回到台北还是纽约，就得告诉自己，多少天之后必须离开，什么事也不能拖，只要拖两天，下面的工作就可能出问题。而且每次离开的时候，我都来个大清理，把要带到彼岸的东西分出来，把不要的抛弃。我居然就因为这样的生活方式，能在工作上有惊人的效率。这不是跟那位“升天”的朋友一样吗？我总惦记着到了某一天，便得飞去另一个地方，所以不敢拖。

“拖”，是很多人的毛病，甚至可以说是“人性”。“拖”常因为懒，也可能由于不敢面对问题。孩子拖着不起床，因为怕面对当天的考试，结果可能迟到，更考不好。大人拖着不体检，可能因为怕查出毛病，结过误了病情，更治不好。“拖”，也可能因为觉得“明日复明日，明日何其多”。心想反正明天多得是，何必抢着今天办？

我认识一位以前住在巴黎罗浮宫附近的老太太，她是前两年由法国移民到纽约的。你猜这位老太太最大的愿望是什么？居然是再回巴黎，游一次罗浮宫。老太太说她在距离罗浮宫十分钟的地方住了五十年，只有年轻的时候去过两次，而且都没能细看，因为想着随时可以去，岂知那十分钟的路，一拖就是半个世纪。又说如果这辈子没机会再去好好逛一次，不但会遗憾，而且是耻辱。

更过分的是，我二十岁的时候到台湾中部乡下的一个同学家玩，他的祖母过世不久，据说老人家临终觉得这辈子最遗憾的是，每天都听到火车的汽笛声，却一生没见过真正的火车。

相信很多人都听过两个四川和尚去普陀山朝圣的故事。一富一穷两个和尚一起发愿要去南海普陀山，有钱的和尚计划坐船去，因为钱不够，还在化缘，等募足了再走，穷和尚却立刻动身，一路化缘、一路行进。过了不久，富和尚还没出发，穷和尚已经从普陀山回来了。由这个故事可以知道，拖的人不见得没钱，也不见得没时间，他们缺的是“当下即是”、立刻行动的力量。问题在于有些事情我们能拖，大不了拖到后来不做了，有些事情却怎么拖，有一天还是得面对。

我印象很深的是以前常去一家裱画店，因为裱褙的画最好能贴在墙壁上久一点，让它干透，我每次都早早把画送去，只是常常在交件的前一个礼拜经过那家店，想进去瞧一眼裱在墙上的画，却发现师傅还没动手裱呢！原因是，东西太多，前面顾客催着交件，他没时间裱我的。更根本的原因是因为他拖，愈拖愈多、愈积愈多，产生了连环效应。结果没有一张能在墙上挂足够的时间，也可以说没有一张裱得够好。

记得有一年除夕，我经过裱画店，发现他还带着徒弟用吹风机把画吹干，我问他怎么回事，老板笑说顾客要给拜年的朋友看，初一一大早非送到不可。又对我一笑，说过完年我只要送画去，他立刻就能动手，因为拖的欠的已经在年前都赶完了。我常记起这一幕，心想他如果从一开始就不拖，不是每一张都能准时交件，而且干得透、裱得好吗？既然每张画他都得为人裱好，何必一拖再拖，造成张张画都迟交，每个顾客都骂他，甚至因为他总裱不好，而不再光顾。只是我也发现即使他后来生意差了，他还是不能准时交件，因为他的问题不在做不完，而在“拖”已经成为他改不掉的坏习惯。

各位年轻朋友，你们面对的功课和考试，不是跟那裱画店师傅的工作一样吗？你怎么拖、怎么积，还是得面对，何不一开始就当下努力呢？如果新学的东西像刚炒好的菜，你何不趁热吃，却搁进冰箱，总吃剩菜？刚出炉的多好吃？刚上过的课多容易复习？何必拖到都忘得差不多了或考试临头才动手？当然因为忙，每个人都难免拖(包括我在内)，那么就隔一阵子狠狠加把劲儿，譬如假使你明天放长假，先别出去玩，而把所有拖欠的东西做完吧！

至于做家长的，我建议您从孩子很小的时候就教他“今日事，今日毕”，玩具玩完立刻收，答应爸爸妈妈的事要立刻做到，脱下还不必洗的衣服立刻挂好。训练孩子由小娃娃阶段就“当下即是”。当然，还有一点，父母必须注意，就是你答应孩子的事，也得说到做到，不能拖！免得把这毛病传染给下一代。

# 第37篇 SUCCESS

## 逼你成功

"一口田"旁边有神的保佑，是"福"。

"一口田"上面加个屋顶，表示有房有田，是"富"。

"一口田"长了脚，要你行动，要你进取，去得到那"一口田"，就是"逼"。

我有个事业非常得意的朋友。四十多岁，没结婚，每天跑进跑出，比谁都忙。有一天我问他："你都在忙什么啊？又是为谁忙啊？"他先愣了一下，接着笑笑，说："我也不知道为谁忙，只觉得背着一个好大好大的包袱，每天拼命向前冲。"我又开玩笑地问："那包袱里装的是什么啊？你有没有自己打开来看看？""我看了！我看了！"他说，"里头全是我公司职员家里的老老少少，要吃要喝，为了他们，我想不干都不成，我是被逼得往前冲。"我不以为然地说："你怎么不说是你自己的野心和理想，使你往前冲呢？""没错啊，我自己的野心和理想当然也逼我冲。想想！一个人不被逼，不被环境逼、理想逼，怎么可能冲得久，又怎么可能成功？"

他的话真有道理，哪个成功的人不是被逼出来的？哪个学生又没被逼呢？即使是最要强的人，如果缺了"逼"的力量，也很难有杰出的表现。甚至可以说，愈是懂得争取成功的人，愈懂得利用逼的力量，不但自己逼自己，还要别人一起逼。

一个人有游泳的天分，想要更上层楼，于是报名参加游泳训练班，他是为什么？他是为了学习新的技巧，改正过去的错误，也是为了找个老师逼。一个有绘画天分的人，找老师学画也是如此，平常他一个星期画一张，拜师之后，功课增加了十倍，画得不好还要挨骂，每次上课之前，更得熬夜做功课，你说，他不也是没事找事，自己找罪受，找人逼吗？

我就是一个很会逼学生的老师。学生找我学画的时候，我会建议他们买最好的工具，因为我发现当他花了一大笔让他心疼的钱之后，就算我逼得紧，他们也比较不会放弃，每当他们要放弃，想到自己昂贵的工具就白买了的时候，会咬着牙，学下去。然后，他们愈画愈好，得到我的夸赞，盼下次还能被赞美，更加倍努力。除了我逼，他们也自己逼自己，一步步走向成功。我许多得奖的学生，都是这样“内外交逼”下成功的。

从另一个角度看，逼学生的老师，何尝没有逼自己？为了让学生每个礼拜都能见到老师的新作品，为了以身作则，我也不得不画，而有了更多的成绩。“教学相长”不也是“教学相逼”吗？

写文章也是如此，不信，你去问问，哪个成功的作家没有被逼？他被两种人逼，被报社、出版社的人逼，也被他自己逼。读者逼主编，主编逼作家，作家逼自己，逼得想睡也不能睡，不想写也得写。问题是，多少惊人的作品就这样诞生了。如果你问金庸：“您那些武侠巨著是怎么写成的啊？”他很可能答：“报社连载逼出来的。”你再问：“如果没有报社逼，您写得出来吗？”他很可能答：“写得出，但写不了这么多。”

你或许要想，一个人没有灵感，逼也没用。这么说，你就又错了。你看过传统诗社的“击鼓催诗”吗？一群诗人聚会，有人出题，几言诗，什么韵，咏什么题材。题目才喊出来，就开始击鼓，起初慢慢地一声一声击，愈击愈快，心愈急，愈写不出，鼓声愈连成一气。只见一个个平常潇洒风流的诗人，急得抓耳挠腮，满脸通红，一头大汗。只是，当鼓声结束，多半人都能交出作品，有些作品还真不差。要他平常写，一个月也写不出来，在鼓声当中居然写出了，这不是逼的吗？

好，或许你没见过击鼓催诗，但你总读过王羲之的《兰亭集序》吧。一群文人在兰亭“流觞曲水”，你知道什么是“流觞曲水”吗？那是一条弯弯的水流，大家沿着水坐下，从上游送下一只盛着酒的小杯子（通常是带着两片翅膀，容易浮在水面的漆制酒杯），流到谁前面，谁就得作诗。你说！那不也是一种逼吗？

你或许说：“对不起！我没见到他们的诗，说不定都是烂诗。”但你总读过《兰亭集序》，说不定还看过临摹的书法作品，对不对？你有没有发现作品上有王羲之写作涂改的笔迹？表示确实是在集会时当场完成，连誊写都来不及的作品。

想想！《兰亭集序》是多么有名的文学作品，那书法作品又被后代多么推崇。如果没有曲水流觞，没有文人相逼，王羲之能有这个成就吗？

再想想！王勃的《滕王阁序》是怎么写成的？当时骚人墨客群集，各逞文才，王勃写一句，仆人通报给主人一句。换作你，你紧张不紧张？问题是，《滕王阁序》不是中国文学史上的不朽之作吗？王勃那天如果没去，你今天能知道谁是王勃吗？

我今天写这篇文章，是因为常听年轻朋友抱怨他们被老师逼、被家长逼、被长官逼，却不知道整个人类的文明都是被逼出来的，“逼”对我们有多大的好处。所谓“困而学之”，困就是一种逼。优胜劣汰、适者生存，连进化都是被逼出来的。

看看“逼”这个字，是长了脚的“一口田”。

“一口田”旁边有神的保佑，是“福”。

“一口田”上面加个屋顶，表示有房有田，是“富”。

“一口田”长了脚，要你行动，要你进取，去得到那“一口田”，就是“逼”。

上班的人，礼拜一早上不想去，还得去，因为生活逼。念书的学生，每天放学不想做功课，还得做，因为老师逼。一个在家从来不入厨房的人，留学在外，居然烧得一手好菜，因为环境逼。一个登山者，跳过一条他平时绝不敢跳的深沟，因为有只野兽逼。所幸世界上有“逼”这件事，我们才能超越自己，完成超出自己能力的事。孟子说：“天将降大任于斯人也，必先苦其心志，劳其筋骨，饿其体肤，空乏其身，行拂乱其所为，所以动心忍性，增益其所不能。”

这段话说的不是只有四个字吗？就是“逼你成功”！

## 学得活，记得牢

每个人记忆的长处不一样，当别人很快背下来，你却办不到的时候，先别怨自己不聪明，而要好好分析自己，找出对自己最有利的方法。

年轻学生及他们的家长都非常关心增强记忆的方法。

不知道读者朋友是不是因为听过我背书，再不然就是知道我中学的成绩不怎么样，每次都靠考前拼命，居然都能考上好学校，于是猜我一定记忆力特别强。

其实，你们猜得不对，也对。不对的是，我的记忆力很特殊，常常不是“过目不忘”，而是过目即忘。尤其记不得人名、地名，也不会背英文单词。对的则是，我有一套方法，弥补我的缺点，而且只要背起来，就能记得很牢，甚至半辈子不忘。从今天开始，我就分几次，把我这套方法“野人献曝”，告诉大家。

曾经提到过，有些好老师会教，能让你很容易懂，而且把死的东西说成活的，让你感兴趣。为什么好老师教学的效果能好得多，除了他们会分析解释，还有一点，是他们会教学生怎么记。于是学生平常可能要花半个小时才能记住的东西，经老师一教，五分钟就记牢了。说不定，一般人考完就忘的东西，那老师教的学生却能记半辈子。

各位如果不信，听我举个我初中老师的例子。那老师据说以前在大陆是位医生，大概因为没把文凭带到台湾，只好到初中教“生理卫生”。他教得生动极了，最记得有一次他带了个真的骷髅头，借大家传阅。然后讲解婴儿的囟门，出生的时候，头骨怎么有弹性地通过产道，又说那头盖骨上面的缝合。再告诉大家，要把完整的骷髅头拆开不难，不必用锤子敲，只要在里面装满黄豆，再灌水，黄豆一膨胀，就会把颅骨撑开了。

你说，这老师棒不棒？哪个十三四岁的小鬼，拿着骷髅头，心里不怦怦直跳？再听他那些话，当然印象深刻。就这样，那老师把课本里有关头骨的东西全灌输给了学生。

接着他要大家背十二对脑神经，也就是“嗅神经、视神经、动眼神经、滑车神经、三叉神经、外展神经、颜面神经、听神经、舌咽神经、迷走神经、副神经、舌下神经”。天哪！多难背啊！可是那老师有他的妙招，他像唱儿歌似的教大家跟着他唱，还一边唱一边比画手势：“一嗅二视三动眼，四滑车、五三叉、六外展，七颜八听九舌咽，十迷走、十一副、十二舌下。”没两下，大家都会背了。而且像我，五十年都没忘。

还有，刚才说婴儿头顶，有一块头骨还没密合的地方，叫“囟门”，“囟”字很冷僻，经那老师一教也一辈子不会忘。因为他说小娃娃刚生，圆圆的头顶上没什么头发，就一根毛，头骨中间还有裂缝，画起来，不就是“囟”这个字了吗？又说长大了，头发多了，就好像“腦”这个字，外头是肉肉的头皮，所以是“月(肉)”字边，上面长了三根毛，下面还是圆圆的头骨，中间有着头盖骨的缝合线。如果用这方法教小孩写字，不是也容易得多吗？

我这里一开始说这些，是要分析，读书得活学活用，不能死背，活学的东西非但学得快，而且记得牢。由前面的例子更知道，增强记忆可以用说故事的方法、音韵节奏的方法、手势舞蹈的方法和图画的方法。

这里先介绍故事法。

我在《世说心语2——刘墉教育秘笈》中提到，每个人的智力不同，脑的发育也不一样，有些人能把天外飞来，八竿子打不着的东西记得牢牢的，有些人则怎么背都记不住。有的人能记脸孔、长相，有些人会记人名。譬如我太太很会记人名，我很不会，所以参加派对，我都得拉着太太，如果看见一个熟人走过来，我忘了名字，就捅我太太，问："那人叫什么？""谁啊？""就是在机场被老婆打耳光的那个。"

各位别笑！这不只是笑话哟！这说明我太太能记人名，我能记故事。各位做师长的人千万要了解这一点，就是有些孩子能死背你写给他的重点，有些孩子却没办法。你必须把课讲得很活，再把重点放进去。各位同学也要知道，每个人记忆的长处不一样，当别人很快背下来，你却办不到的时候，先别怨自己不聪明，而要好好分析自己，找出对自己最有利的方法。

有个心理学上著名的实验——

准备两个西洋棋盘，一个是高手下到一半，还没完的残局，一个是随便乱摆的。但是两个棋盘上的棋子数目一样多，然后请棋坛大师来看，再把大师带到另一个房间，请他回想看到的棋盘。当大师看完高手下一半的棋局，能很容易地回想起来，但是对那随便摆的棋局，就算是大师，也没办法。原因是，前一个棋局有道理，后一个棋局没道理。有道理、有故事的好记，没道理可循的难记。在心理学上管有道理的叫“陈述性记忆”，没道理的是“非陈述性记忆”。

再举个例子，“8879576”可能不好记，但是当你想“爸爸吃酒我吃肉”，就好记了。“5711438”这个号码，你想成“我妻一一是三八”就好记了。正因如此，很多紧急的、重要的电话，都会找“谐音”，像是台湾的自杀救命专线，8859595，“帮帮我救我救我”，你大概也看一眼就记住了，对不对？有些人甚至连初学英文的时候都这么背单词，英文 university，是“由你玩四年”；dangerous，是“单脚拉屎”！连记名字都用这方法。Nicole Kidman 老记不住，说“那是只值五分钱的小男人，nickel 是美金五分钱镍币，kid 是小孩，man 是男人”。就记住了。

# 第39篇 SUCCESS

## 用故事帮助记忆

如果你不爱读死书，而能活学活用，笔试的成绩却总不好，也别自责，说不定你未来进入社会，把各方面的长处加在一起发挥，就比别人棒了。

我最近在台北参加小学同学会，提到我已经跑遍了中国大陆，长江沿岸的城市，南京、武汉、重庆不用说了，就算镇江、芜湖、安庆、九江、岳阳、长沙、常德、沙市、宜昌、万县，沿路数下来，大概也去过一半以上。当我讲这些地名的时候，同学都瞪大眼睛，讶异我好像如数家珍，怎么记得那么熟。我说这不是我们以前地理课本上读的吗？大家都笑起来，说五十年前念的，怎么可能不忘？

说实话，我那时候念的东西，也多半还给老师了，只有这个当年长江沿岸的二等港，我因为用了个“陈述性记忆”的方法，所以能记将近半世纪。我以前说过，我记性不好，但是穷则变、变则通，逼得我不得不另想办法记，譬如我当时把那些港口的名字组合成“政无安九月常常杀一万”，意思是“政治不安定，九月秋决，常常要处决一万人”。然后用每个字去想，不就成了镇江、芜湖、安庆、九江、岳阳、长沙、常德、沙市、宜昌、万县了吗?

没错!用陈述性的记忆,你得花时间编。可能有些记性特好的人,你还在编故事呢,他已经背好了。但是对于像我这种不擅长死背的人,死背要花很多时间,搞不好考完就忘了,编故事反而快得多,而且几乎可以保证,死背的人早忘了,我还能记得,算算"成本会计",当然编故事划算。

举个例子,我问你,能不能说出一九五五年签订《华沙公约》的八个国家?如果不记得,我告诉你,是苏联、捷克、保加利亚、匈牙利、德国、波兰、罗马尼亚和阿尔巴尼亚。

说完了,请问你能记住几个?就算你都能想起来,只怕也很费力吧!而且如果明天我再问,你八成会忘掉一些。但是换个方法:"我有个兄弟的老姐,死抱着菠萝吃。"

再改简单一点:"阿兄的姐,死抱菠萝。"

从这句话,你是不是立刻可以想起——

"阿——阿尔巴尼亚,兄——匈牙利,的——德国,姐——捷克,死——苏联,抱——保加利亚,菠——波兰,萝——罗马尼亚。"

再考你一个,你知不知道"十二星座"的名称和次序?

我原先也不知道,但是前些时看大家都搞星象算命,心想也应该懂,于是随手拿起一本杂志,翻到"星座运势",只花了两三分钟,就把十二个星座全背了下来。你别惊讶,我怎么才花两三分钟就背下十二个星座,而且连次序都记得,那是因为我用了特殊的方法。不信,现在我教你,你也两分钟就记得了,而且可能一辈子都不会忘。

这里有个故事,并且开始计时——

"从前有一只白羊跟金牛结婚,生了两个孩子(双子),长得很巨大(巨蟹)，像狮子一样强壮，他们同时爱上一个处女，天天追着处女(天秤，天蝎)，成了色魔(射手，魔羯)，结果被上帝惩罚，变成关在水瓶里的两条鱼。”

只怕你连两分钟都不到，就记得了，对不对?

为什么原本要花很多时间还不一定背得下来，就算背下来也可能搞错次序的，你现在不过两分钟就记得了?因为那些星座的名称是独立的，绝大多数人记故事的能力要比记“字”和“词”的能力强。编成活生生的故事当然比死背来得快。

相信大家一定在电影里，尤其是美国的西部片里看过，印第安人能贴在地面听，看地上的脚印、树枝的方向，甚至加上嗅觉，来判断敌人或野兽的行踪。这一点，城市的人做得到吗?不是城市的孩子天生没这本事，而是因为没有训练。生活在山野的人，可能整天都光着脚，在泥土地、沙地、树林和朽叶、沼泽和湿地间行走，他脚上的感觉当然比总穿着鞋子，待在屋子里的城市人棒。各位再想一想!我们的学习只需要眼睛和耳朵吗?当然把嗅觉、触觉和皮肤冷暖、脚下软硬的感觉都带进来，记忆会更深刻。

说得再深入一点吧!据心理学家调查发现，落后地区的孩子，书读得少，不太适应死记书本上的文字，所以读书能力可能比城市孩子差，但是当你说故事给他听，或带他走一条陌生的路，他们却可能记得比城市孩子牢。这是因为城市里的孩子，一天到晚待在教室、书房、图书馆，面对的是课本、计算机，他们总是用眼睛和耳朵，如果是读死书的人，恐怕一整天都跟人交谈不上几句，变成除了用眼睛看，用大脑想，其他的感觉都被荒废了，这种人听故事的想象力和对环境的观察力，当然不如生活在乡野的孩子。同样的道理，如果你不爱读死书，而能活学活用，笔试的成绩却总不好，也别自责，说不定你未来进入社会，把各方面的长处加在一起发挥，就比别人棒了。

# 第40篇

## 用看电影的方式背书

要想事半功倍，你千万不能死读书。看到的只是印在白纸上的黑字，而要把那些文字变成动画，化为流水、芳草、落花、山洞、田园、鸡犬、人物、太守和刘子骥这位高士。

前面，我提到怎么用谐音或故事帮助记忆。这里则是教给大家怎样用视觉帮助记忆，而且一鱼两吃，除了谈记忆，我还要借这个机会说明怎么像拍电影似的，用连串的画面组成好文章。

几乎每个读书人都念过，甚至背过，那就是陶渊明的不朽之作《桃花源记》。

陶渊明写作很干脆，用字简练，一点也不啰唆。你看，他一开始，先来上三句——“晋太元中，武陵人，捕鱼为业。”晋朝的太元年间，武陵人，职业是捕鱼。才十一个字，已经把“人、地、事、时、物”交代了。

接着，“缘溪行，忘路之远近”。我们就跟着这位渔人，沿着溪水划船吧！想必他那天有点闪神，居然忘路之远近，迷路了。陶渊明必须强调“忘路之远近”这句话，为什么？因为如果不是因为“迷路”而误入桃花源，读者后来难免要问：“渔人既然在溪上讨生活，称得上轻船熟路，怎么才出了桃花源就找不回去了呢？”

好！咱们继续！“忽逢桃花林。”在写作技巧上，“忽逢桃花林”让人眼睛一亮，接着“夹岸数百步，中无杂树。芳草鲜美、落英缤纷”。桃红加上草绿，这色彩多美啊！加上落英缤纷、桃花飞舞的动态，让文章整个鲜活了起来。“渔人甚异之”，他非常惊讶而且好奇，继续往前划。“复前行，欲穷其林，林尽水源，便得一山，山有小口，仿佛若有光，便舍船，从口入。”真是愈来愈精彩，居然有了神秘探险的感觉。

“初极狭”，山洞很狭窄，“才通人，复行数十步”，“豁然开朗”。走出山洞，陶渊明用了个电影的广角大远景，只见“土地平旷、屋舍俨然，有良田、美池、桑竹之属”。不但用大远景，他的镜头还渐渐向前推，起初是“土地平旷、屋舍俨然”的远景，渐渐成为认得出桑树和竹子的中远景。

接着加入人的动态跟声音，“阡陌交通，鸡犬相闻”。镜头连续往前推，看得更近、更清楚了。只见“其中往来种作，男女衣着，悉如外人。黄发垂髫，并怡然自乐”。你想象那画面，是不是由“中远景”又成为“近景”，已经看得清衣着发饰了。而且再往前，看到脸上的表情“怡然自乐”。大家终于发现他这个外人了——“见渔人，乃大惊，问所从来，具答之。”你从哪儿来啊？大家问，渔人就老实说了。

于是大家“便邀还家，设酒、杀鸡、作食。村中闻有此人，咸来问讯”。都好奇地跑来问。村人说自己是“先世避秦时乱，率妻子邑人来此绝境”，不再出去了，于是跟外人隔绝，问当时是什么朝代，竟然不知道有汉，更别说魏晋了。这个渔人把自己知道的一五一十说出来，听到的人都感慨极了。其余的人也各自请渔人到家里，都用酒食款待。停留了几天，大概渔人想家了吧！不得不告辞。桃花源里的人送行的时候，特别叮嘱他：“不足为外人道也。”您可千万别告诉外人！

但是这渔人很不够意思。怎么不够意思？他“既出，得其船”，就沿原来的路，处处做记号，而且“及郡下，诣太守，说如此。”太守的行动也真够快的，“即遣人随其往”。奇怪的是“寻向所志”，寻找原先做的记号，“遂迷不复得路”，居然找不到了。(不知是不是桃花源里的人不信任他，偷偷派人跟出来，把他做的记号给毁了。)

这陶渊明还像拍剧情片似的，在结尾留一手，说：“南阳刘子骥，高尚士也，闻之，欣然规往。”很兴奋地计划去，可惜“未果，寻病终”。还没成行，刘子骥就病死了。(搞不好,是桃花源里派出的高手,把刘子骥给下毒毒死了。)果然“后遂无问津者”。真是千里烟波、山重水复，不知道那“桃源仙乡”藏在何处，留给后人无穷的想象空间。

你说，陶渊明是不是写出了一个古老中国的“哈利·波特”？哈利·波特能由车站的柱子，进入魔法世界。武陵渔人搞不好，也是通过山洞的时光隧道，进入桃花源。陶渊明以短短三百字，写出惊喜、神秘、色彩、声音和各种人物的悬疑故事，而且用词那么生动浅显，连一般人都能看懂，当然能得到广大的共鸣，成就这千古不朽之作。

而且各位想想，这文章从头到尾，是不是以一条线，一个镜头，跟着渔人走，就写成了？了解了这一点，你也可以试着用视觉、用镜头，广角远景、中景、特写和大特写，经营出生动的文章。

回到谈记忆的主题。当你跟我背完这桃花源的故事，用拍电影的方式去想，这篇文章是不是也变得很好背了？各位同学们，要想事半功倍，你千万不能死读书。看到的只是印在白纸上的黑字，而要把那些文字变成动画，化为流水、芳草、落花、山洞、田园、鸡犬、人物、太守和刘子骥这位高士。

如果你能这样背《桃花源记》，我相信，你五十年后，跟我一样，还能倒背如流。

# 第41篇

## 跟陶渊明回家

文章难写吗？只要你心中有景，其实不难！

文章难背吗？只要你不死背，而把文字变成画面，也不难！

相信大家都看过国画大师张大千先生的画，张大千在美国加州卡穆尔住过一段时间，他为自己的家取名为“可以居”。这名字并不只是表面“可以居住”的意思，而是出自北宋郭熙说的“可以观，可以游，可以居”。代表了欣赏国画的三个过程，也可以说是三个层次。

先谈谈“可以观”。一般人看画都只是“观看一张画”，那画框或卷轴的装裱好像窗框，譬如欣赏一张山水画，我们是由屋里看窗外的风景，外面的景色和欣赏的人是分开的。由于我们在屋里，就算画的是雪景，也不一定感觉寒冷。

接着我们可以进一步欣赏，成为“可以游”，也就是说从屋里出去，走进画里游览。这时候画里的小桥流水人家、春花烂漫或秋叶飘零，甚至风声、水声、雨声，都因为我们进入画图中，而跟我们有了接触。尤其欣赏手卷这类长长的画，你可以像看电影似的，一边卷起一边展开，再用眼睛跟着画里的道路或溪流游览。

第三步，也是最深入的“可以居”。当我们不但进入画中游览，而且干脆住下来，那感觉就更好了。为什么中国传统山水画里常常有连续不断的小路、山居和人物，它的目的不是只让你在画外欣赏，也可以说不是只要你“可以观”，而是希望引导你在画里游览，最终则是希望你成为那画里的人物安顿下来。于是你可以坐在茅屋里读书、倚在高楼上远眺、坐在亭子里观瀑，或在水上划船，进一步感受画家的心情与人生观，这也就是中国文人画的精神。

这里，我带大家欣赏陶渊明的《归去来辞》。如同《桃花源记》，陶渊明还是用拍电影式的连续镜头写作。还有一点，请别忘了，在欣赏的同时，可以用画面帮助记忆，进一步练习图画式的记忆法。

陶渊明这篇《归去来辞》，是写他去彭泽当县令，因为个性不合，不愿为五斗米折腰，借故辞官不干，打道回府的一路，以及到家之后的感觉。

现在让我们进入画面。陶渊明回家是先坐船，“舟摇摇以轻扬，风飘飘而吹衣”。当你读到这儿，可以试着感觉那摇摇摆摆的船和徐徐吹来的风。

接着下船上岸，因为他辞官回家，少不得有行李。显然他对这条路并不熟，所以上岸之后还要“问征夫以前路，恨晨光之熹微”。问路上的行人前面怎么走，又因为太早，怨恨晨光不够亮。

终于看见远处的家门和房子了，“乃瞻衡宇，载欣载奔”。他高兴地跑向久违的家。显然家人早得到通知，所以“童仆欢迎，稚子候门”，纷纷出来欢迎。

接着他走进大门，看见院子里的小径虽然长了野草，所幸松树和菊花还挺好。其实照《归去来辞》前面的“序”里说明，那时候已经是十一月了。所幸他家在南方的长江流域，不至于太冷，可能还残留着一些菊花。

接着，“携幼入室，有酒盈樽”。陶渊明带着孩子走进屋子，桌上的杯子里已经倒满美酒。妙的是陶渊明没提他太太。大概含蓄吧！不好意思写。既然太太没出来，只好自己继续倒了，所以说：“引壶觞以自酌，眄庭柯以怡颜。”一边饮酒一边欣赏窗外的大树，挺高兴。

他显然是在南边的窗前坐着，而且他家的房子应该是坐北朝南，屋子不大，所以说：“倚南窗以寄傲，审容膝之易安。”“金窝银窝，不如自己的狗窝”，回到家，就算在小小的房间里，也觉得自在。

正因为他在朝南的窗边，所以可以看见“园日涉以成趣”。有人把这句翻译成“每天在园子里散步”，但是我不同意，我认为《归去来辞》的前半篇是写同一天，所以这句应该是他在南窗往外看，看太阳由东往西移动，园中日影的变化很有趣。加上他在南窗，正好可以看见朝南开的大门，所以说：“门虽设而常关。”

接着，他既然觉得院子里景色挺美，就拿着拐杖到外面走走。“策扶老以游憩，时矫首而遐观。”不但走，而且不时地抬起头来往远方看。就像是“采菊东篱下，悠然见南山”的画面。

既然往远处看，看到南山，就见到了“云无心以出岫，鸟倦飞而知还”。也可以说，陶渊明先远眺南山，见到白云，再看到倦鸟归巢。倦鸟归巢当然是傍晚了，所以跟着说：“景翳翳以将入，抚孤松而盘桓。”虽然天色已经渐渐暗了，但是久别回家的陶渊明，还是舍不得进屋。他抚摸着松树，流连忘返，真是写出了他久别归来的心情和对家园的爱。

由前面我介绍的这一大段，可以知道陶渊明由天没亮的时候在船上“舟摇摇以轻扬，风飘飘而吹衣”，写到天刚亮的“问征夫以前路，恨晨光之熹微”，然后一路写，写童仆，写院子、房子、饮酒、散步，阳光移动、日影变化，写了恰好一整天。这正是陶渊明这篇文章高妙的地方，他把时空变化非常巧妙地融合在一段。而且一个画面接着一个画面，一环扣着一环。进屋子、饮酒，坐在南窗边，走到院子，抬头远眺，看到南山白云，见到倦鸟归巢，最后天色渐暗，是不是环环相扣？也可以说他像写《桃花源记》一样，用视觉带领文字，因为视觉成一条线，所以写出来非常流畅。加上风吹、船摇、天光、云影、童仆、稚子和散步，就更有了声色和光影的变化。

文章难写吗？只要你心中有景，其实不难！

文章难背吗？只要你不死背，而把文字变成画面，也不难！

# 把仇人变成贵人

这世间最好的“报复”，就是用那不平之气激发自己的潜能，迈向成功，然后用那成功和“成功之后的胸怀”，对待你当年的敌人，而且把敌人变成朋友。

相信有多人都爱看武侠小说，我少年的时候，也迷得不得了，常把小说藏在床底下，母亲一出门，我就掏出来看。武侠小说里似乎多半都有报仇的故事。主角常常是身负血海深仇的孩子，先是在被仇家灭门的时候，保住一条小命，再获得武林秘笈，又阴错阳差地遇到千年才成熟一次的灵芝仙果，再不然就是遇到武林奇人，为他打通任督二脉，于是由一个文弱少年，突然变为天下第一高手，直捣仇家的巢穴，讨回灭门的血债。

我那时候不但看武侠小说，照着书里形容的招式比画，买《易筋经》之类的书照着练，还背武侠小说里的对白，其中我觉得最“酷”的句子是“此仇不报非君子”。而且自从学了那句话，在学校里动不动就用。别人比赛赢了我，我说“此仇不报非君子”；打球的时候被同学扯破了衣服，我也说“此仇不报非君子”。好像学了这么一句很“酷”的话，没有仇也要找点仇来报才过瘾。

当然青春期的孩子，喜欢争强斗胜也是原因。常有小太保因为别人看他一眼，心里不爽，就过去捅人一刀，还有不少学生参加帮派，集体械斗。那种“斗”似乎是没完没了的，今天你多打我一下，明天我非还你一下不可；明天你人多些，我吞下一口气，后天就一定要聚众讨回公道。真合了美国西部的那句俗语——“枪声总有两响”。今天你开一枪，人家倒下了，没能回你一枪，改天总有人要来“补那一枪”。

高中的时候，我有个同学被别班的人修理了。他很瘦弱，连帮派的人都不要他，他气不过，告诉他爸爸，他爸爸居然骂：“谁让你不打回去？”然后送他去学跆拳道。他先到外面拜师，又加入了学校的跆拳道社，每天中午还在走廊上摆个装满铁砂的布袋，练“铁砂掌”，我到今天都能记得他左一掌右一掌，手心一掌，手背一掌，啪啪啪的声音在学校大楼间回荡。他后来居然练到一巴掌就能把桌角打掉。有同学特别把椅子上的木条拆下来，架在两个桌子之间，要他劈，他能把粗粗的木条劈断，手却一点没事。更棒的是，他还得了校外比赛的大奖，成为校际的风云人物。

那欺侮过他的人当然紧张得要死。可是，我这同学明明有力量可以“讨回公道”，他却不动了。先说“练跆拳道只能防身，不能用来打人，这是跆拳道馆的规定”，又说“何必呢？赢了也不光荣”。又过一阵，当同学提到他当年练功夫是为报复的时候，他居然笑笑说：“我还真该谢谢那个人，要是没他，我也不会有今天的成绩！”他不但没报复，还和那个人成为好朋友。

我自己也有这样的经验。大学刚毕业的时候，台湾的一个电视公司请我去主持特别节目，那节目的制作人知道我文笔不错，还要我兼编剧。可是当节目做完，领酬劳的时候，他不但没给我编剧费，还扣我一半的主持费，他把收据交给我说：“你签收一千六，但我只能给你八百，因为节目透支了。”我当时没吭声，照签了，心想“君子报仇，十年不晚”。后来那导播又找我，我还“照样”帮他做了几次。最后一次，他没扣我钱，变得对我非常客气，因为那时我被公司老板看上，一下子进入新闻部，做黄金档的新闻主播和新闻评论节目的制作主持人。我们后来常在公司遇到，他每次笑得都有点尴尬。我曾经想去告他一状，可是正如高中那位同学所说，没有他，我能有今天吗？如果我当初不忍下一口气，又能继续获得主持的机会，并且被总经理看上吗？说实话，机会是他给的，他是我的贵人，我怎能忘恩负义呢？

后来我到美国求学，有一天，一位已经就业的同学对我抱怨他的美国老板“吃”他，不但给他很少的薪水，而且故意拖延他的绿卡（美国居留权）申请。我当时对他说：“这么坏的老板，不做也罢。但你岂能白干这么久，总要多学一点再跳槽，所以你要偷偷学。”他听了我的话，不但每天加班，留下来背英文商业文书的写法，甚至连怎么修理复印机，都跟在工人旁边写笔记，以便有一天自己出去创业，能够省点修理费。隔了半年，我问他是不是打算跳槽了，他居然一笑说：“不用了！我的老板现在对我刮目相看，又升官，又加薪，而且绿卡马上下来，老板还问我为什么做事态度一百八十度转变，变得那么积极呢！”他心里的不平不见了，他进行了“报复”，只是换了一种方法，而且他后来自我检讨，当年老板对他不好，是因为他做事不够积极。

大概二十年前吧，我又遇到个有意思的事。一位老朋友突然猛学算命，由生辰八字、紫微斗数、姓名学到占星术，没一样不研究。他学算命，竟然不是觉得算命灵验，而是想证明算命是骗人的东西。原因是有一位命理大师为他算命，算他活不过四十七岁。他发誓，非砸烂那大师的招牌不可。

你猜后来怎么样？他愈学愈怕，因为他发现自己算自己，也确实活不长。这时候，他改了，跑去做慈善，说：“反正活不久了，好好运用剩下的岁月，做点有意义的事。”他很积极地投入，人人都说他变了，由一个焦躁势利的小人，变成敦厚慈爱的君子。不知不觉，他过了四十七，过了四十八，而今已经近六十，红光满面、生气勃勃，比谁都活得健康。

我有一天开玩笑地对他说：“你可以去砸那大师的招牌了！”他眼睛一亮，回问我：“为什么？要不是那人警告我，照我以前的个性，确实四十七岁非犯心脏病不可，他没有不准哪！”

各位朋友！尤其是年轻朋友，你喜欢逞强斗狠吗？你总是心有不平吗？你有“此仇不报非君子”的愤恨吗？请想想我说的这几个故事。你要知道，敌人、仇人都可以激发你的潜能，反而成为你的贵人。你也要知道，许多仇、怨、不平，其实问题都出在你自己身上。你更要知道，这世间最好的“报复”，就是用那不平之气激发自己的潜能，迈向成功，然后用那成功和“成功之后的胸怀”，对待你当年的敌人，而且把敌人变成朋友。

当“冤冤相报何时了”的双输，能成为“相逢一笑泯恩仇”的双赢，不是人生最大的成功吗？

# 第43篇

## 谁是真天才

我们不能因为功课不好，就否定一个人。也不必因为成绩棒，就硬给他戴上“天才”的帽子。过与不及，都可能伤害天才。说不定你家正有个“牛顿”，千万别把他教成了“钝牛”。

天才，或许有人说天才跟你没什么关系，那我要讲：他绝对跟你有关系！如果你认为自己的孩子或你自己不是天才，很可能你错了。错在你没有发现每个人都应该具有的“天才点”。相对的，如果你一心认为自己或孩子是天才，也要小心。我发现自从施行一胎政策，很多父母、祖父母，把所有的注意力和属望都放在一个娃娃身上。认为自己家的娃娃特聪明，是天才，结果造成很多严重的教育问题，甚至青少年忧郁、自杀，也跟这个有关。

首先让我们思考一下，什么是天才？

天才是记忆力最好的人吗？过目不忘、一目十行的一定是天才吗？这世界上记忆力超强的人真是太多了，我在纽约《世界日报》上看过一则新闻——英国有个三十七岁、叫罗勃斯的人，不但能够把《圣经·启示录》上的一万两千五百五十九个字，只字不漏地背出来，还能把两百多页电话簿上的名字和电话号码背得如数家珍。一九九五年他还曾经以34.35秒背出洗过的五十二张扑克牌的次序，打破世界纪录。他还计划挑战另一个世界纪录，就是记下圆周率小数点之后的两万零五百个数字！

请问，惊人不惊人？这罗勃斯是了不得的天才了吧？没错！他是天才。但你知道他做什么工作吗？他是搬运泥土的工人，他学生时代，老是考不及格，被认为是笨蛋。

那么天才应该是智商最高的人了吧？

好，这里还有个例子。这是我在华盛顿一份报纸上看到的——美国一个叫莉特的美丽女生，由威斯康星州的高中毕业之后，跑到纽约打天下。但是大家都认为她是“波大无脑族”，使她一直找不到好工作。她当过女侍，也做过模特儿，有一天她看到哈佛、耶鲁、斯坦福和麻省理工学院联合举办公开的智商比赛，于是报名参加。结果她以196分获胜，还拿到一万美元的奖金，使她工作的身价暴涨。您猜是她什么工作的身价？答案是：应召女郎！

如果你上网，应该能找到，世界上有不少专门由高智商的人组成的社团。你上去看看！那些所谓绝顶聪明，智商在一百五十以上的天才都在做什么？他们那么聪明，是不是特别有创造力？是不是办事能力特强？是不是个个有成就？答案，请各位自己找！

这样吧，我们反过来，从那些已经盖棺论定为天才的人看。莎士比亚是天才吧？据伦敦《泰晤士报》引述英国新堡大学应用语言学家的论文说，莎士比亚是错字先生，有时候连自己的名字都拼错。海明威、伍尔芙是天才吧？他们也一样。更离谱的是被认为是才子诗人的济慈，单单在一篇《秋之颂歌》里的前十句，就拼错十个字。

再举个当代的天才！美国热门电视影集《天龙特攻队》的著名编剧史蒂芬·康奈尔。他从小就有读字困难症，自己承认到四十多岁都没办法通过小学三年级的拼字测验。甚至他记电话号码，都会把数字的顺序写错。阅读也一样，他看东西会把好好的句子弄颠倒，套一句中国古人骂读书人的话："他是不能句读的笨蛋！"问题是他怎么能成为获得艾美奖的剧作家呢？原来他写的东西，先交给助理去"了解"，再重新正确打字，把通顺的东西打出来。

各位读者，如果换作你家、你班上有这样的学生，你会怎么对待他？如果换作是你有这毛病，你又会怎样评估自己？各位要知道，聪明不等于智商，IQ 不等于 EQ，记忆不等于创造。文学创作重要的是创意，不只是拼字和文法。

谈到创造，让我们再看看一位了不得的人物，创办微软的比尔·盖茨吧！你知道他中学成绩平均多少吗？不是 A+，不是 A，不是 A-，也不是 B+，是 B！又因为整天在学校占用计算机，使老师不得不要求他父母为他在家买一台。加上他很叛逆，总跟他妈妈争吵，一家不得不去看心理医生。所幸医生建议做父母的让步，给孩子自由发挥的空间。于是比尔·盖茨继续玩他的计算机。他功课这么烂，按说进不了哈佛大学，但是他居然在美国全国 SAT 会考中得到惊人的高分。我相信，加上他在计算机上的"杰出表现"和"奇怪的个性"，被哈佛看上了。

好，进哈佛之后，他该乖了吧？据说他刚进去，常常跟同学玩扑克牌到天亮，第一个学期就因为受不了压力，在期末考试的时候病倒，不得不飞回家疗养。学期结束，这位天才的平均成绩是C。又过不久，他干脆休学了。

这时候，我又要问各位师长，如果你碰上这种孩子，你会怎么办？你会认为一个中学拿B，大学拿C的是天才吗？如果你是学生，虽然你对某些科目特别感兴趣，但是其他的都不成，或者记忆不佳，甚至连文章都写不通的时候，你还会有自信，而且执著于自己的喜好，认为自己一定有天分，只要朝认定的方向努力就能成功吗？

天才是很难下定义的。我们不能因为功课不好，就否定一个人。也不必因为成绩棒，就硬给他戴上“天才”的帽子。过与不及，都可能伤害天才。说不定你家正有个“牛顿”，千万别把他教成了“钝牛”。也说不定你家那个“钝牛”，好好栽培，会成为未来的“牛顿”。

## 第44篇 SUCCESS

## 天才制造机

人不会再活一次，大人没有资格剥夺孩子美丽的少年时光。我们更不可以逼着孩子做天才，甚至为他掩饰、为他包装，把孩子硬往高处推。

有一天，我在台北乘电梯，门正要关，冲进一位邻居太太，手里拿着好多根细细长长像铁丝的东西。大概看到我好奇的眼光，就一边喘气一边主动对我说："给我儿子买的，已经买第三次了。学校要小孩做元宵花灯，愈做愈大，学校发的铝条不够，只好去买。"

我说："真是小天才。"

那邻居太太居然一瞪眼说："得了吧！不是小天才，是老天才，天才老爹和天才老妈，不是他在做，是我和我老公在做。因为太要紧了！不但儿子班上要打分数，还会挂在走廊里，由评审老师评分，选出最好的，代表学校出去参加元宵花灯展！"

还有个故事。有一年圣诞节，我经过一家五星级酒店，发现除了漂亮的圣诞树，酒店前面还盖了一间小小的房子，里面很小，但是花花绿绿，灯火闪烁，就进去看。原来是卖"姜饼屋"

的，也就是用饼干、各色糖浆和巧克力搭成的一个个既好看又好吃的小屋子。大的要七八千块台币，小的也得千儿八百。我就问："天哪！这么贵，谁买啊？"里面的小姐居然一笑说："还不够卖呢！因为附近小学美劳课教学生做姜饼屋，好多小孩不会做，家长只好来买，去为孩子交作业。"我当时笑说："这怎么会像小孩做出来的呢？"那小姐说："有几个小孩做得出来？哪个不是大人带着做？你不知道现在连卖饼干的生意都特别好吗？最起码大人会买饼干为小孩组合成姜饼屋。"

说实话，我也不能笑别人。因为带孩子做功课，尤其做这种被认为"不是正式功课的功课"的家长，可能不在少数。我记得儿子刚到美国的时候，学校教美国早期的移民史，要小孩回家照书上形容的做模型房子。我儿子愁眉苦脸回来，我对他说："这有什么稀奇，老爸带你一起做。"接着找了一块木板当底座，又用黏土切成小块，放进烤箱烤成小砖块，在地上铺了一块布，当地毯，还做了一个有枕头和被的床，加上两把椅子，甚至把儿子显微镜上的小灯拆下来，塞进小屋子当灯，活像个新大陆早期拓荒者的房子。

当时我得意死了！不但把小房子保存到今天，还把这父子合作的故事配上彩色图片写进书里。问题是，最近我提到这事儿，儿子居然露出很怪的表情说："还提呢！你知道我糗大了吗？为了那个小房子，是你帮忙做的，被同学笑，一直笑到小学毕业！"

当时我以为帮孩子做手工，可见我是好爸爸，只是忘了在美国不能这样。因为孩子是独立的个体，做好做坏，都得孩子自己负责，大人可以教，但是绝不能动手帮忙。

问题是，美国家长就都不帮忙吗？笑话！你去打听打听，为了让孩子申请上好的大学，多少美国家长会花大钱，找专门为小孩包装的人，送小孩参加各种比赛，建立得奖记录；办画展和音乐演奏会，就算很不怎么样，也印制漂亮的海报。中国父母希望自己孩子是天才，美国家长也一样。有个参加SAT测试数学得800满分，又在斯坦福Stanford- Binet智力测验中成绩高达298分，而轰动全美，被认为是世上最聪明小孩的贾斯汀·查普曼，后来被《纽约时报》调查披露，是在妈妈叮嘱下死背考古题答案拿到智力测验高分的。至于SAT的成绩单，则是那妈妈用邻居孩子的成绩单，扫进计算机，再改造出来的。还有，她孩子三岁做的智商测验，十三题只会两题，其他都是妈妈做的。

真正的问题是，那孩子对自己在斯坦福智力测验里作弊耿耿于怀。进入资优中学之后，出现问题，先拒绝做功课，又说人生没意思。最后，才八岁的贾斯汀被安排进行心理治疗，而且他妈妈因为使孩子身心俱疲，造成明显的伤害而失去了监护权。麻烦的是，那孩子有了躁动和自杀的倾向。

更严重的是，据美联社二〇〇五年三月十九日的报道，智商178，一岁半读书写字，四岁钢琴比赛得奖，十岁高中第一名毕业，名闻全美的内布拉斯加神童布兰登·布雷默（Brandenn Bremmer），居然在家里举枪自杀，当时不过十四岁。

马来西亚有个智商148，十二岁跳级念大学，十三岁进美国麻省理工学院，十五岁进康奈尔研究所，二十三岁拿到博士的天才，后来出了心理问题，情绪低落而且有自杀倾向，不得不入院治疗，五年后因为糖尿病和败血症，结束了他三十岁短暂的人生。

我过去在美国大学教书的时候，见过不少所谓天才儿童。小小一个孩子，坐在一群大学生当中上课。问他什么，好像都会。下课之后却发现他因为年龄太小，跟同学打不成一片，一个人孤孤独独地在校园里走。

我也知道，有很多所谓天才学生，譬如初一上数学，才两个礼拜，被发现程度太高，跳到初二，甚至过不久，又跳到高一。问题是，那些他跳过的，他都细细学过，一点问题也没有吗？做学问要打坚实的基础，跳级好吗？跳级使孩子不能跟同龄的朋友一起成长。如果不跳级，别人学三小时的，他半小时就会了，剩下的时间可以学别的。不是路子更宽广、生活更充实吗？尤其重要的是，人不会再活一次，大人没有资格剥夺孩子美丽的少年时光。我们更不可以逼着孩子做天才，甚至为他掩饰、为他包装，把孩子硬往高处推。要知道孩子是纯真的，他们不愿造假、不愿作弊，加上唯恐跟不上露了马脚，那种恐惧可能造成精神上严重的伤害。

# 第45篇

## 神童与神话

天才不是表面的智商和记忆力。当孩子拼命比成绩的时候，对造就天才有帮助吗？

在《世说心语2——刘墉教育秘笈》中我提到有一天去一个朋友家，看到他家小朋友的数学课本，翻一翻，对那朋友赞美课本编得真好。朋友很不苟同地一撇嘴说："得了吧！连三乘五都要把十五颗豆子画成三堆，要小孩数。多笨！三五一十五，九九表一背就成了，干吗那么啰唆？慢死了！"

我笑说："那样才能教小孩有数字的观念，将来成为爱因斯坦啊！"没等我说完，朋友已经叫了起来："我才不要他做爱因斯坦呢！他只要成绩好，将来考上好学校就够了！"

中国父母就是这么妙！他们一方面希望自己孩子是天才，一方面又常常用死板的方式教孩子，搞不好，把原先能成为天才的脑子反而弄得僵化了。其实我也不能只说中国父母这样，美国有些老师也差不多。譬如我女儿上幼儿园的时候，有一天回来对我说，学校考试，老师问："鸟住在哪里？"答案是"树上"。我当时就跟女儿说："你老师错了！多半的鸟住在树上，但有些鸟，像是鱼狗（翠鸟），会在岸上挖洞，住在洞里。还有，鸵鸟也是鸟，大雁也是鸟，它们都不住在树上啊！你没看见咱们家后面的湖上，有好多大雁站在冰上睡觉吗？它们孵蛋的时候，才在岸边用草堆个窝。所以不是所有的鸟都住在树上。"

读到这里，请千万别骂我鸡蛋里挑骨头。我必须说，教育像窗子，你不能只开一扇，而要尽量开，尽量给孩子思想驰骋的机会。如果你从小就限制了孩子的心灵，把他们天生的幻想和创意剥夺了，很可能扼杀天才。如果您看过我写的《超越自己》，也可能有印象，我在书里说自己上研究所的时候，有位教授谈到秦桧，劈头就说："秦桧是坏人。"我就抗议了："教授！我们是上研究所耶！你可以讲史实，让学生自己思考啊！"

不让孩子独立思考的缺点，很可能在孩子小时候不会显现，反而因为套公式容易得高分。但是当孩子长大，需要更大创意的时候，就出问题了。举个例子，二〇〇二年我在台湾的报纸上看到，一则报道台湾地区中学生参加美国数学测验的新闻，说"中华中等数学学会"分析指出，台湾地区学生到高一之前，数学的平均成绩比美国学生高不少，但是到高三，需要较多创意和思考的阶段，就不比美国学生强了。尤其是顶尖的，台湾地区学生少之又少，又说这跟台湾地区的教学方法有很大关系。

我特别提出这件事，还有个重要的原因，是当父母用死板的方式把孩子推上去之后，到了高年级，孩子不能继续攀高，可能产生严重的问题。数字会说话：

据美国康奈尔大学的报告，从一九九六年到二〇〇六年，康奈尔有二十一名学生自杀，其中十三名是亚裔，占百分之六十二，但是亚裔只占康奈尔学生的百分之十四。不止康奈尔哟！据二〇〇四年美国大学生心理健康研究报告显示，出身亚裔家庭的学生，已经有了自杀和心理健康的危险因素（risk factor）。这危险因素是怎么造成的？是过度的期盼、硬性的灌输造成的。很多父母把孩子从两三岁就送进制造天才的学校训练，而且不断跟别的孩子比。问题是，天才是能比的吗？如我在前两篇分析的，天才不是表面的智商和记忆力。当孩子拼命比成绩的时候，对造就天才有帮助吗？怪不得《读者文摘》杂志在二〇〇五年公布的调查显示，让小孩给父母打分数，台湾地区青少年给爸爸妈妈的整体评价只有 C+，在全亚洲敬陪末座。当时调查没包括中国大陆，我猜，加上大陆也好不到哪里去！

当然，我不能武断地判断硬灌输对孩子没有效。有些科目在孩子幼年阶段加把劲儿确实有奇效。举个非常著名的例子，一八〇〇年七月出生在德国的卡尔·威特（Carl Weter）就是个好例子。他出生时看来很不怎么样，甚至被人认为可能有智障。但是他爸爸用自己的一套教育方式教小威特，结果令人惊讶极了。威特九岁已经能说德语、法语、意大利语、英语、希腊语，尤其擅长数学。九岁考上莱比锡大学，十四岁得到哲学博士学位，十六岁得到法学博士学位。

在中国很多人崇拜威特，不少父母甚至受到他的影响，拼命教自己的孩子，希望成为威特那样的天才。但是，威特虽然十六岁就被任命为柏林大学的法学教授，二十岁在格拉斯哥大学教书，三十四岁转到哈雷大学，但是除了做大学法学教授，又对但丁很有研究，他从十六岁到八十三岁，后面近七十年，又如何？还有，他有个快乐的童年吗？

只是，由威特的例子可以知道，在孩子小时候教他语言，效果是特别好的。据研究，幼儿时学的语言，连在大脑里储存的位置都跟成年学的不一样。何止比成年学习事半功倍，只怕有十倍的效果。很简单！你注意，家庭成员如果操不同的方言，譬如父母说普通话，爷爷奶奶说广东话，外公外婆说闽南话，一家都住在美国的西班牙人区，恐怕孩子不用九岁，已经把普通话、粤语、闽南语、英语，甚至西班牙语都朗朗上口了。没人刻意教他，他也自然会了。所以从幼儿时候就教各种语言，创造惊人的“语言小天才”是没问题的！

音乐也一样，尽管著名钢琴家傅聪的爸爸，当儿子小时候不好好练琴会抓着他的头往墙上撞，据说马友友的爸爸也很严厉，郎朗的父亲就更凶了，大家可以看郎朗的自传，他爸爸火大的时候甚至要他去死，但是音乐天分，尤其演奏技巧和音感，跟语文一样，幼年训练的效果特佳。严师出高徒，棒子底下能出演奏的才子。

各位请注意，我前面列举的是语言和音乐演奏，可没说文学写作和作曲。即使神童莫扎特真正成熟的曲子，也是二十岁以后出炉的！最后让我引述另一位天才诺贝尔奖得主丁肇中的话：“我所认识的诺贝尔奖科学家，几乎没有在学校考第一名的，考倒数第一的倒有几个，世上本来没有神童，何必为神童设神坛！”

# 第46篇

SUCCESS

## 你也可以是天才

就算你不是所谓天才，如果你能执著用功、锲而不舍，既往深处打基础，又往新的方向思考，你就称得上是天才！

看过我在凤凰卫视主持的节目《世说心语》的读者可能知道，我特别画过《桃花源记》和《归去来辞》配合讲演。节目制作人张嘉君小姐夸我“真是才子”。我当时回问她：“你没发现我常常在夜里一两点钟发电邮给你吗？我只是用功而已！”

我这个人不太信天才，高中的时候还因为对天才发表评论，而让我的导师觉得我骄傲。事情是这样的：我有位同班同学跟我学国画，有一天导师看了他的作品，对我说那同学真有才气。按礼貌我应该顺着她的话说“是啊”，可是我非但没说，还讲：“要看他能不能画下去，不继续就算不得有才气。”

一直到今天我还持这种看法。常常有人对我说，某学生太有绘画天分了，称得上天才，只可惜没有继续学，所以没成大画家，这时候我一定答：“不能锲而不舍、坚持到底，就不是天才！”

这里，我要分析一下我认为的天才特质。

首先我认为天才要执著。唐代的诗人李贺，白天四处找灵感，晚上又熬夜创作，没人逼他，他还拼命，连他妈妈都说只怕儿子会呕出血了。李贺虽然早死，但留下那么多了不得的作品，怪不得被誉为“诗鬼”，李贺是鬼才！是天才！

宋代女词人李清照，从少女时期描写荡秋千“露浓花瘦，薄汗轻衣透”，到跟赵明诚结婚之后，写夫妻情爱的“帘卷西风，人比黄花瘦”和“笑语檀郎，今夜纱橱枕簟凉”，到历经战乱、丈夫死、改嫁，甚至进监牢，还写出“寻寻觅觅、冷冷清清、凄凄惨惨戚戚”和“春归秣陵树，人老建康城”这样的好作品。她无论年轻年老、得意失意，都能坚持创作，真是才女！

天才的第二个特质，是往深处下工夫。曾国藩说：“为学不可全恃明快，要思量到迟钝处。”中国画论有“大拙便是巧处”，近代大画家李可染说：“以最大的力量打进去，再以最大的力量打出来。”都是这个道理。当一个人聪明到一目十行的时候，好像什么东西都难不倒他。看什么，他一下子就记牢了。问题是，他虽然过目不忘，却可能看得太快，失去思考的机会。反不如那些迟钝的人，看了又看，才搞懂。也就在这看了又看的过程中，细嚼慢咽，品尝到最细的滋味。而且“尽信书不如无书”，别人都认为想当然的事情，天才会持怀疑的态度，就像牛顿想苹果、富兰克林想闪电，非但朝思暮想，而且化为行动、做实验。所以天才能“见前人所不见，发前人所未发”。

张大千诗书画都好，早就誉满大江南北，他伪造的古画连鉴定专家都可能看走眼。但是他硬是自己发挥，创造出他特有的泼墨画和自成一家的大风堂书体。不止如此哟！他还能躲到敦煌两年，临摹莫高窟的壁画。他亲口对我说，曾经因为缺水，渴到喝马尿。他既对古人下工夫，又不受古人的限制，而且下苦功学习，是真天才。

第三点，天才有最好的联想力。可以这么比方：人的聪明好像撞球，有些人用一个球只能撞几个，有的人却能连着撞，撞下整台的球。孔子说："举一隅不以三隅反，则不复也。"要求学生举一反三就是这个道理。只是，天才绝不止举一反三，而可能举一反三十。正因如此，天才常常是真正做"学问"，他既爱学，也爱问。就算那天才不爱说话，平常闷不吭气，也会在心里自己问，而且进一步追根究底找答案。

说个真事儿。我有个朋友刚送孩子进小学没几天，就被老师请去谈话，说他的儿子太让人头痛了。老师说："有一次我说故事，说'从前有个人很穷'，话还没完，你儿子就问：'他有没有爸爸妈妈爱他？'我说：'有，可是死了！'你儿子又问：'那他有没有哥哥姐姐弟弟妹妹？'我说：'没有。'你儿子又问：'那他有没有朋友帮他？'天哪！我故事才讲一句，你儿子已经问了一堆，我还上不上课？"最后老师建议："你的孩子不是智能不足，就是天才！你还是把他送到特殊学校去吧！"

提到特殊学校，我在美国的住家附近就有一所，里面不是专精某一样才艺，其他科目都一团糟，就是会造成上课困扰的过动儿或不确定是天才还是白痴的孩子。我就知道一个华裔男生，父母都是了不得的高学历，孩子却怪（也可以说有奇才），不得不送去特殊学校。每次我女儿高中演歌剧，里面令人惊艳（不是美丽，而是才艺）的角色，也往往是从那个学校借来的。最近听说有个女生已经被百老汇看上，要去挑大梁了。正如前面那位小学老师说的，很多天才跟智障在早期难以分辨。为什么？这正是天才的第四个特质——天才可能有极端的长处和因此造成的短处。

譬如他们很能联想，看来就常常会分神，进入他们自己的思想世界。你说他这样是“专心”还是“分心”？是专心吗？没错！他专心在他自己的世界，严重的甚至把通往外面的其他管道都关上了，成为自闭的样子。可是他也像分心，有些天才看书，才看一句就把书扔了，想那一句。还有些天才说话是跳跃的，因为他的思想跑得太快，一下子从东跳到西，让人觉得语无伦次。有位朋友曾经跟我说他儿子从小就爱恐龙，碰到有关恐龙的东西，无论是玩具还是书，就不走了。现在已经不小了，还一样，好像心里只念着恐龙。我特别为这个找资料，得到的答案是，这种表现可能是天才，也可能是一种毛病。因为他可能过度专注于恐龙，造成其他方面学习的困难，算毛病。但是反过来想，说不定他改天成为恐龙专家，有了不得的成就。

以上有关天才的分析，可以给天才的父母和认为儿女智能有问题的师长参考，也可以给一般同学激励。就算你不是所谓天才，如果你能执著用功、锲而不舍，既往深处打基础，又往新的方向思考，你就称得上是天才！

# 第47篇 SUCCESS

## 尊重别人就是尊重自己

“自尊”与“尊重别人”其实是一件事，因为你不能对别人表现尊重的时候，会被人看不起，也会伤到自尊。

最近有件很令我感动的事，有一天在台北我跟一位同学去停车场开车。刚进停车场，就看见一个年轻漂亮的小姐，拿着卫生纸正给她的狗擦屁股。因为画面太有意思，我就偷偷看，只见那小姐擦完，打开车门，先把刚才用完的卫生纸放进车里，再把狗抱上车。我的同学说：“好恶心！”但是我说：“好感动。”她把卫生纸放进车里，而不是扔在地上，令我感动。

这件事让我想起三十年前，在纽约中央车站，看见的一个相似的画面。一位穿着华丽的贵妇，趴在大厅中央的地上，当着旁边上千经过的人，用卫生纸擦她刚刚打翻的咖啡。纸不够，又到旁边的洗手间拿，回来继续擦。我对同行的朋友说：“真丢人！”朋友却笑笑说：“真令人尊重。”

尊重和自尊的关系很微妙：我儿子念中学的时候叛逆，我说什么，他都不听；同样，因为我常看不惯他，所以他说什么，我也不听。但是他说过两件事，我不但服气，而且难忘。事情是这样的：有一天，我们看篮球转播。刘轩问我："你有没有发现投进球的人总是第一个反防？"我说："投进球的人，刚冲锋陷阵，一定最累，而且可能最接近对方的底线，为什么还最先反防？"刘轩理直气壮地说："就因为他立了功啊！人有自尊的时候会更拼命！"我当时没答话，但是后来观察，他说得一点没错，投进球的球员确实常常反防得更快。

还有一天，在街上走，看见墙上被人涂得乱七八糟。我骂："真差劲！没公德！"刘轩竟不以为然地说："你注意的话，就会发现他们乱涂乱画当中，也有一种公德。"我怔了一下，叫起来："有什么公德？"刘轩说："当然！你看！哪个涂鸦画得特别讲究、特别漂亮，别人就不会在上面再乱画，所以那些特别好的涂鸦能一直留在墙上，让大家欣赏。"

我当时也没吭气。可是后来发现他说得没错，在一大片墙壁当中，你可能看见四周被涂了又涂，中间却留下一幅最棒的，没人碰。每个涂鸦都躲着那张最棒的，使那张画好像成了众星拱月，特别突出。我儿子说得对——"为什么大家'让着他'？因为他画得好，下的工夫深，所以获得大家的尊重。"

"自尊"与"尊重别人"，是我们常挂在嘴上说的词，但是表现出来，却可能大不同，记得有一天朋友聚会，有人说笑话——老公下班回家，一进门就问他老婆："今天哪个男人来过了？"太太吓一跳："你怎么知道有男人来过？确实有人来，是修水管的工人。"那丈夫一笑说："我当然知道。我一眼就看出来了，因为抽水马桶的坐垫是翻上去的。"

讲完，大家都笑了。可是有位太太很不以为然地说："算了吧！这丈夫以为他聪明，其实不见得，因为只有没教养、不尊重女性的男人，才会在掀起马桶坐垫小便之后，不再放下来。”然后她看看四周的男士，指着每个人问：“你们说！你们是不是不尊重女人？你们小便时，以为把坐垫掀上去就是有礼貌了，却从来不知道再把坐垫放下来！”

谈到厕所，也让我想起飞机上的洗手间，几乎每个盥洗盆前面都会有个小牌子写着：“为了方便下一位乘客使用，请在洗手后将盥洗盆擦拭干净。”

每次我在洗完手之后，先放水，擦干手，还得用纸细细擦拭盆子。如果擦手的是不吸水的人造纤维毛巾，有时候擦了十几圈，都擦不干。我不敢不擦，因为当我推开门，很可能有位旅客接着走进来，如果看到我好像没擦，不是会怨我不懂礼貌吗？

“自尊”与“尊重别人”其实是一件事，因为你不能对别人表现尊重的时候，会被人看不起，也会伤到自尊。譬如推门，不顾后面有人，把门一放，差点打到那人的鼻子，是不尊重别人。你吃自助餐，餐台上的龙虾只剩三块了，你暗自高兴地想：“幸亏现在轮到我，要不然，就吃不到了。”于是你一口气把三块全夹进盘子，却不顾后面还有一长排等着的人。当你大摇大摆，端着三块龙虾离开的时候，是不是也显示了你的自私？同样的道理，中国人吃饭有规矩，不但大人没吃之前，晚辈不能先吃，而且晚辈只能夹最靠近自己的菜。不是说远处盘子的食物不能吃，而是一盘菜，当自己最爱吃的那块东西在盘子的另一边，不能去夹，只能夹靠近自己那一侧的，也可以说，你可以夹，但不能挑。各位有没有想过为什么？因为当你挑，把好的挑去，表示把不好的留给别人，甚至是留给长辈，非但显示自私，而且是对同桌人的不尊重。

“自尊”与“尊重别人”，更表现在“守时”这件事上。

台湾著名导演李行讲过一个故事，令我印象深刻——

有个著名的男演员，耍大牌，常不守时。有一天拍戏，大伙全到了，独独不见那个男演员。导演说：“等他！”二十分钟，三十分钟，一个钟头，导演、演员、摄影、灯光、场记、场务，大家全乖乖地等。终于，那男演员到了。导演没骂他，但是也没开工，而是站起来，对所有的人说：“好了！收工！”于是灯光灭了，大家全走了，留下那一个演员，呆呆地站在黑黑的场子中间。从此，那男演员再也不敢迟到。为什么？因为由他不尊重别人这件事上，伤害到了他的自尊。

我还记得一个画面，那是在一个丧礼当中，有人进门就大声地四处打招呼，发现大家反应都很冷，愣了一下，感觉四周的静穆气氛，突然整张脸都变得通红。相信大家在图书馆之类的安静场合，也见过这种画面。当大家都安静，只有你一个人喧哗的时候，丢脸的一定是你。只是各位想想，你会不会在深夜旅馆的走廊或安静的街头，也曾经大声喧哗。你没觉得丢脸，也没觉得不安，因为除非那些被吵醒的人抗议，你不会知道自己破坏了别人的安宁。所以尊重别人，常常不是公德，而是私德。从心灵深处在乎别人的私德，常常比公德更重要。

## 少抽一口烟吧!

我们不毒害别人，也不毒害自己!

有件真事。有一天我跟朋友到台湾南部的乡下旅游，车子经过一片烟草田。我先不认识，问那些大大叶子的植物是什么。朋友说："烟草。"另一个朋友接着有感而发地讲："跟美国烟草田比起来差远了，美国人最坏，他们毒害全世界。我们比较好，我们只毒害自己的同胞。"话才说完，一车的人都笑翻了。问题是，他说得有错吗？以前在台湾军中，每个月除了军饷，还发香烟，据说因为烟酒公卖，香烟是政府重要的财源。问题是，这样好像鼓励阿兵哥抽烟，造成军中抽烟的习惯，而且不只是习惯，成了烟瘾，只怕瘾愈来愈大，公家发的不够，还得自己掏钱去买。没错！公卖局的收入确实丰厚，只是也造成不少烟害。

就拿精打细算的美国人来说吧！十年前有个大新闻，美国四大香烟厂商，承诺付出两千零六十亿美元，跟四十六州达成和解协议。加上在这之前，已经承诺给佛罗里达、明尼苏达、密西西比和得克萨斯州的四百亿美元，真可以说是天文数字。那四大烟厂是笨蛋吗？他们为什么承诺？因为他们知道过去卖香烟、促销香烟，已经造成太多人健康的问题。各州政府为照顾这些受烟害的病人，更不知花下去多少钱。生命是能拿钱来衡量，是能用钱补偿的吗？所以香烟公司除了赔偿，还必须支付十七亿美元，作为研究青少年吸烟问题和反吸烟的宣传费用。

这时候我们难免要想，天哪！人们吸烟已经有多久的历史，到处见人喷云吐雾，为什么好像到近十几年来，大家才注意到？又为什么拖到今天，美国的烟草商才赔偿，难道早不知道吗？

我想他们早知道，只是不知道抽烟会造成那么多问题。大概今天因为医学进步了，也可能因为富裕，人命更值钱，再不然因为一般民众更有法律常识，懂得要求赔偿了。至于过去，就算知道抽烟有害，甚至二手烟会害到别人，套一句俗话，“当大家一起闯红灯的时候，就不是闯红灯了”。当大家都抽，抽烟人口几乎占多数的时候，少数也不敢吭气。积非也能成是了。

反过来想，当大家意识到抽烟的害处，开始禁烟戒烟，烟民一天天减少，不抽烟者占的比例愈来愈高，真相也就会逐渐不再被隐藏。

没错！是“不再被隐藏”。大家要知道，那些大烟厂在过去花了多大力量隐藏烟害啊！据说为了让人快速上瘾，还有烟厂偷偷在香烟里添加尼古丁的。再说一个有意思的故事给各位听，证明烟商知道烟草之害：

据美国《巴尔的摩太阳报》报道，美国著名的骆驼牌香烟大老板一家人抽烟（真是自己人捧自己人场），儿子和儿媳妇都死于长期抽烟引起的疾病，孙子雷纳德还照抽，每天一包，十五年都如此。但是一九八六年，四十四岁的雷纳德突然成为反烟者，他不但说他对自己的家族企业愈来愈排斥，不想用那害人的产品赚钱，把手上价值两百五十万美元的烟草股票卖掉，而且到参议院作证，要求禁止一切香烟广告，免得害人。从此他四处参加反烟活动，呼吁大家别抽烟，把他卖烟草股票得来的钱全花在反烟上了。

吸烟的坏处大了，过去是因为庞大利益被隐藏。据美国国家癌症学会的统计，美国每年大约有四十三万人死于抽烟造成的疾病，每五个死亡者当中就有一个跟吸烟有关。还说，每抽一根烟，寿命减短六分钟。百分之二十一的冠状动脉血栓症、百分之八十七的肺癌、百分之三十的其他各种癌症的死者，都因抽烟引起。怀孕妇女如果抽烟，生下的孩子有百分之二十到三十体重不足，还有百分之十可能早产。

大家更要注意的是据统计，如果每星期吸二手烟二十小时，动脉硬化的速度会加快百分之二十。还有，在美国每年有超过两万六千个小孩因为爸爸或妈妈每天抽十根以上的香烟而罹患气喘。吸烟者小孩的猝死率是不吸烟者小孩的两倍。据英国二〇〇六年的统计，吸烟和二手烟还会造成老人眼睛的黄斑部病变，严重的话会失明。

说到老人，让我想起我的老岳父，有一次说他抽烟都躲到没人的地方。我老岳母不给他面子，立刻讲：“得了吧！年轻的时候，坐在床上抽，哪里管会不会呛到我。现在老了！变好了！”我老岳父确实变好了，而且自从他十年前戒烟，原先心脏旁边曲张的血管都改善了，现在年近九十，夏天种的菜，足供全家吃。

我邻居老先生，四十多年的老烟枪了！孙女出生，他从台北飞往纽约探望，在飞机场突然一伸手，把他的香烟和打火机全扔进垃圾桶，老伴在旁边叫：“你扔烟，别把那么名贵的打火机扔啦！”老先生说：“扔！要疼，才戒得掉，为了疼孙女，我非戒不可！”果然，他从那天开始没抽过半口烟。

不过我儿子前两年也抽烟，他抽了多久我不知道，因为他绝不在屋里抽，如果我要去他家，他也不知用什么法子，绝不让我闻到烟味。还是有外人告诉我，加上有一次我发现他在雪地里吞云吐雾，才知道。我曾怨他为什么抽烟。他说在学校里参加派对，很吵，根本没办法说话，大家就抽烟。我女儿高中的时候，我太太接送她，也常在校园的铁丝网墙边，看见好多孩子抽烟。据说因为学校不准抽烟，那些小鬼就在墙边抽。我曾经问一个抽烟的大男生为什么抽，他耸耸肩说：“不为什么，酷！”中国年轻人抽烟的也不少，而且年龄逐渐下降，从一九八〇年的二十三岁，降到二〇〇二年的二十一岁，只怕现在更小了。

各位年轻朋友！你会为耍酷，表示你长大了，可以做跟大人一样的事而抽烟吗？你知道中国吸烟人口占世界烟民的三分之一，一年要抽掉全世界三分之二的烟草，如果把那种烟草的土地拿来种粮食，可以解决四千万人的温饱吗？更别说因为抽烟生病的医疗损失了。据中国预防医学院的调查报告，中国男性死亡原因，八个人当中就有一个死于吸烟，其中百分之四十五死于肺部的慢性病，百分之十五死于肺癌。预计二〇五〇年之前，中国会有一亿人死于吸烟。

还有，各位爸爸妈妈、爷爷奶奶，为了您自己，也为了下一代，您是不是能戒烟，再不然少抽几根？就算非抽不可，也别把二手烟传给家人吧！中国人在历史上，受尽了鸦片烟之害。香烟虽然没鸦片那么毒，但医学事实证明，那害处也不少啊！戒烟吧！同胞们！我们不毒害别人，也不毒害自己！

## 最真实的友爱

有人认为那两只手表示握手，我则认为它们朝同一个方向，表示二人合作，朝着同一个方向使力。那不正是朋友吗？

有两对夫妻结伴去野外露营，到了目的地，却为点小事不高兴。其中一对第二天天刚亮，也没知会朋友一声，就开车回家了。半路因为下雨积水，轮子陷在泥坑里出不来，太太在车里猛踩油门，丈夫下车拼命推，还是没办法。突然间，车子动了，开出泥坑，原来在丈夫的一双手旁边，又多出两双手，是他朋友夫妻的手。接着，两家人调转车头，又高高兴兴地去露营了。

这是我在女儿很小的时候讲给她听的，为的是教她中文字，是一只右手旁边多出一只右手。这还是由“象形”组成的“会意字”，大家可能一时猜不出来，是隶书和楷书的“友”。

有人认为那两只手表示握手，我则认为它朝同一个方向，表示二人合作，朝着同一个方向使力。那不正是朋友吗？朋友是要彼此帮助的，我很小的时候就感觉朋友真有用。那时候我和一个同学，每天坐公共汽车上下学，当时台北的车况、路况都不好，我们常没有座位。同学的个儿小，连拉车上的拉环都吃力。于是我试验一种方法，就是一个人直着站，一个人横着站，再紧紧抓着彼此的手，当车子左右摇的时候，横着站的人可以稳住；当车子前后动的时候，直着站的人有力量。只因两个人这样，居然能一路扶持，不抓任何东西都不摔倒。

朋友也曾救过我的命。我十五六岁时报名参加登山队，去台北近郊的“娃娃谷”。那里有个瀑布，大家一起顺旁边小路爬到瀑布上方。可是沿着原路下来的时候，我看见瀑布旁边大树上有一根很粗的铁丝，正好垂到下面路边的岩石上。想抄近路（当然也有“秀”的意思！）就拉着铁丝往下垂降。没想到紧张，手出汗，铁丝又细，手抓不住，一直往下溜，眼看要坠落下面的山涧，幸亏铁丝最尖端有个被弯起来的地方，才止住。问题是，虽然不远就是山崖边上的岩石，我一只脚可以够得着，但我不敢够，怕一动，手就可能滑开，重心不稳，非掉下去不可。就在这生死一线的时刻，有位不认识的登山队员默不作声，一只脚横着伸出，踩在旁边的岩壁上，让我用脚钩住他的腿，跳到那块突出的大石头上。惊魂甫定，我居然忘了谢谢他，也不知道他的名字。但是到今天，我总想起他，没有他，今天这个世界上八成不会有我。而且由这件事我知道，每个陌生人都可能是贵人。在人生的旅途，父母不会总在身边，真正帮助我们的，很可能是紧要关头在身边的朋友。我甚至觉得，“君臣、父子、夫妇、兄弟、朋友”五伦当中，朋友更特殊、更珍贵。舍开封建的“君臣”不谈，父子、兄弟都是血亲，夫妇是另一半，命运的共同体，更没话说。只有朋友没亲属关系，如果排除“利”的关系，还能彼此关怀、彼此帮助，不是更崇高吗？凭什么在这茫茫人海，原先八竿子打不着，既没爱情又没利益纠葛的这个人，能如此亲近？这是多么珍贵的缘啊！

孔子说得好："君子喻于义，小人喻于利。"朋友之间可能起初有利害关系，但是既然深交，就该超乎"利"。甚至一个十足的小人，可以因为跟你是好朋友，而对你表现出义与善，是君子！而且愈是不被欢迎的人，当你对他好，你愈可能成为他唯一的好朋友。

我有个朋友，结过几次婚，有一次我参加他的婚礼，他的姐姐居然过来问我，为什么到今天还做他的朋友？当时我反问她："为什么我不做他的朋友？他可能对别人不好，对他前任太太和女朋友不好，甚至对亲兄弟姐妹都不怎么样，但是他对我好！从来没对我不好过。"

可能我这么认为是不对的，因为他也有亏欠我的地方。只是，我说他两句，就算了。朋友嘛！我欣赏他的优点，也接受他的缺点。正因如此，孔子会说"益者三友"，是友直、友谅、友多闻。那个"谅"，是体谅与宽容。一个人不体谅、不宽容，甚至不牺牲，怎么可能交到好朋友？好朋友常有相互的亏欠！有亏欠，还能不分手，更显示友谊经得起考验。至于"友直"，也很重要，一个人可以对外人圆滑，但是对朋友一定要直，见到朋友的缺点，一定得说。而忠言逆耳，说的不一定好听，被说的人就得"谅"解，知道朋友苦口婆心，为自己好。很多事情，父母见不到，夫妻见不到，反而朋友比较客观，能看得出来，"友直"因此更加重要。

至于"友多闻"也是益友的条件之一。所谓"独学而无友，则孤陋而寡闻"。朋友多等于自己的接触面广，西方有一句话"Six degrees of separation"，意思是这世界上天南地北的两个人，只要通过六个朋友，一个介绍一个，就能找到彼此。你说，朋友多，不是能使我们掌握全世界吗？

这里，我也要告诫各位年轻朋友说：交朋友还是要选择的，不是说要“无友不如己者”，每个朋友都得比自己强才交，而是如我前面说的，当一个人对别人都不够朋友，只对你好的时候，你固然可以和他交往，却要想想，他对你的好，会不会是他对别人不好才有的。他去骗别人钱给你花，他好像对你够朋友，却可能陷你于不义。碰到这种情况，你要“友直”，直直地劝他。屡劝不听，你则要想想孔子说的“君子和而不同”以及“择其善者而从之，不善者而改之”。他不好，你一方面要自己检讨，别跟他犯同样的错，一方面要设法改变他，使他改过向善。如果还不成，就“道不同不相为谋”了。

什么是“道不同”？举个例子，今天你的志向是往东，他偏偏往西。今天你应该努力、用功，追求更高的理想，他却每天影响你，说：“何必那么辛苦？你瞧！跟我一样多好！”当你发觉无法改变他，他却可能影响你的脚步、使你沉沦的时候，是道不同，也是你该作抉择的时候。我不是教你对不起朋友，而是教你坚持自己的理想，暂时离开他，两个人各自发展。换个角度想，有一天你成功，不是更能帮助他吗？

# 第50篇 SUCCESS

## 疼疼爸爸妈妈吧！

我母亲在我小时候常常指着家里的锅碗对我说："妈就你这一个孩子，家里好的坏的，每一样都是你的。"接着指指她自己："这个老娘，也是你的。"

二〇〇八年是两岸开放探亲二十周年，有一天我跟几个朋友看电视上播出的探亲专题，报道二十年前，台湾的老兵们怎么在身上写着"想家"的大字，走上街头，争取开放回乡探亲。只见一群已经六七十岁，甚至七八十岁的老人，湿着眼眶合唱《母亲你在何方》——"雁阵儿飞来飞去，白云里，经过那万里可曾看仔细？"

看到这儿，坐在我旁边的一位女士突然掩面哭了。"你一定是想你在南部的妈妈了吧？"我问。那女士哭得更严重了，一边抽泣，一边说："我是会想我妈，但是我更想我女儿。"有人问："这首歌是《母亲你在何方》，你为什么反而想女儿呢？"哭的女士说："我是从女儿的角度想，她的妈妈在哪里，我不在她身边，她好可怜。我虽然也会想我妈，但不像想女儿那么伤心。"

人性就是这样，爱是比较往下付出的。妈妈疼爱子女，八成胜过子女爱妈妈。就算子女小时候非常爱妈妈，而且总跟妈妈说：“我一辈子最爱的人就是妈妈。”有一天，交了男朋友或女朋友，搞不好没几天，说法就改了。至于有了孩子，那原先对父母的爱，本质虽然没变，表现就更不一样了。因为子女的能力有限，先得全心全意疼爱自己的孩子。

我女儿小时候看卡通片，只要看见男女主角，管他是王子公主，还是美女野兽，只要他们接吻了，我女儿就会说：“电影要完了！”没错！你注意，多半的迪斯尼卡通，里面的主角就算是小鹿、花狗、狮子或小丑鱼，到结尾都是找到另一半，接吻，然后END。有时候，还回马一枪，拍出两位男女主角带了一堆小宝宝。请问，有几个电影会交代美女的爸爸、小丑鱼的爸爸？搞不好，像白雪公主和灰姑娘，那爸爸从头到尾根本不会出现。至于妈妈，常常早死了。说实话，就算妈妈还在，只怕男女主角一接吻，也得闪到一边儿去了。

真实社会不是这样吗？你注意，孩子到外地上学，可能一把鼻涕一把眼泪地离开家，然后天天打电话，在电话里哭。还有些实在太想家，念一半，休学了！我就认识好几个朋友的孩子这样，好说歹说送回学校，甚至妈妈陪着住在学校旁边。突然有一天，孩子不需要妈妈了，搞不好还赶妈妈回家。原因很简单，交了异性朋友！从那天开始，原本黏家的儿子女儿，一下子不再黏了。他去黏另一个人，等着造另一个家。

我在《世说心语2——刘墉教育秘笈》里讲过，每个人成长的过程都在妈妈的怀抱与情人的怀抱之间挣扎。每个人一出生，就注定要走向独立，可是又会舍不得爸爸妈妈，甚至舍不得把他带大的爷爷奶奶。而生物的定律，是下一代必须独立，生命必须繁衍，孩子必须有他自己的家，爱他的家，疼他的孩子。

只是，这时候爷爷奶奶、爸爸妈妈怎么办？多余了吗？几年前我应北京一个出版社的邀请，在各地巡回义卖有声书的时候，有位陪同的朋友聊天时说，她女儿很孝顺，现在已经就业了，还是总想到妈妈。又说，这是因为她早早听了一位朋友的话。女儿小时候，有什么好吃的东西，绝不直接交给女儿。就算自己不爱吃、不想吃，也要先放进嘴里，吃两口，再交给女儿。那朋友说得很有道理。她说：多半的父母太疼孩子了，好东西，想都不想就交给孩子。时间久了，孩子觉得好东西就该是他的，父母欠他，不给他就不对。但是当你碰上什么好东西，都自己先吃一口的时候，孩子就算大了，有一天自己买到好吃的东西，可能刚要放进嘴里，突然想到妈妈，问："妈！你要不要先尝尝？"

子女不是不爱爸爸妈妈、爷爷奶奶，他们被呵护带大，当然知道爱。但是他们不一定表现出来，或者，他们不会想到。为什么想不到，只怕又是父母、祖父母"惯"出来的。还有一点，是很多年轻朋友，受了西方影响，认为父母应该自己生活，不能影响下一代的幸福，成为子女的累赘。你没看见吗？美国人常把老人送进老人院，甚至老人自己主动要去，因为美国的社会福利制度，过了六十五岁，就算老人一文不名，政府也会照顾得好好的。

问题是，中国不是美国！中国就算有不错的社会福利，跟美国还是不一样。举个例子，我以前在纽约曼哈顿的剧场排戏，从舞台左边，自己去搬了一张大桌子到右边，剧场的工作人员就抗议了。说这是他们的事，我不能抢他们的工作，而且，我们受伤了怎么办？算剧场意外吗？再举个例子，我母亲住院的时候，我和太太要帮她翻翻身、拍拍背，医院的人都说得由他们来做。这是规矩！跟中国比起来，大陆医院的情况我是不知道，最起码在台湾，有人生病住院，即使家属不陪，也得请特别护士。没错！你如果没人管护士还是得管，只是接屎倒尿、递水送食，能有自己人那么细心吗？只怕还会摆臭脸给病人看。

请不要批评我们的护理人员不如美国的认真，要知道每个地方有每个地方的习惯和规矩，制度不一样，薪水不一样、人力分配不一样，甚至医疗保险不一样。好比中国人以前讲究嫁妆，如果家家有儿有女，媳妇进门有嫁妆，女儿出阁陪嫁妆，大家照习俗一来一往，也就扯平了。如果哪一家不照这规矩来，则会造成不平。

同样的道理，中国父母、祖父母对孩子的照顾是美国人能比的吗？孩子既然受到中国式的照顾，当然就该尽中国的孝道。今天的年轻人常常不够孝顺父母，怪不得有好多中年人会怨，他们这一代最可怜，对上一代老人得尽旧社会的孝，下一代子女却不孝顺自己。想想！这样确实不公平啊！尤其在今天一胎政策下，一家就一个孩子。以前兄弟姐妹多，大家还能轮着尽孝，或全推给有钱有闲的手足，今天就你一个，推给谁？如同我母亲在我小时候常常指着家里的锅碗对我说："妈就你这一个孩子，家里好的坏的，每一样都是你的。"接着指指她自己："这个老娘，也是你的。"

各位年轻朋友，回头想想在你成长的过程中，受到父母、祖父母多少呵护，你是怎么长大的？你会不会因为被爱得太多了，使你根本忘记他们有一天也会老，他们也需要你的疼爱？而且，这是中国，中国人有中国人的规矩、中国人的孝道，有中华民族的美德。

最后，回到开头那个新闻专题。其中有一个画面是已经中年的子女，带着年迈的老人家回故乡，说小时候爸爸教孩子唱故乡的儿歌，现在，他们回头教爸爸唱那些儿歌。因为爸爸老了！爸爸失智！爸爸忘了！

# 第51篇

## 有行动的爱，才是真爱

我们不仅要有爱心，更要有行动，而且现在就行动。

有个问题看起来很简单，却普遍存在，就是做父母的不满意自己的孩子，甚至后悔生了他，做子女的又怨父母，怨父母无理，怨父母严厉，或怨父母没钱。

让我以一件小事开始吧！我曾经住在公园旁边，可以很清楚地听见公园里的声音。有一阵子下午同一时间，总听见那些做妈妈的喊："白玉娃娃！白玉娃娃！"我很好奇，趴着窗子看，只见好多妈妈手里抱着自己的孩子，围着一个小娃娃车，还弯着腰盯着里面的娃娃看。再一个劲儿地赞美："瞧！这白玉娃娃皮肤多好哇！""比起来，我这娃娃变成黄皮娃娃、黑皮娃娃了！"我虽然隔一条街，也能看出来，那由外佣推来的娃娃，可能是混血吧！皮肤很白，轮廓很深，眼睛又大，确实漂亮。

妙的是，连着听喊"白玉娃娃"几天，渐渐没人喊了，据说那些抱着娃娃的妈妈们，故意避开白玉娃娃，转去公园的另一边聚会了。只剩白玉娃娃还天天准时出现在原先的地方。可过几天，那些妈妈又回来了，各抱着自己的娃娃，走过来走过去，看看白玉娃娃，再看看自己怀里的娃娃，不停地说："还是我们家娃娃可爱，我们娃娃虽然不是白玉娃娃，但是妈妈疼、妈妈爱，爱死了！"

可不是吗！自己的孩子就是自己的，就算长得不漂亮，功课不够好，似乎不聪明，样样比人差，还是自己的孩子，就是自己要宠爱的。瞧！"宠"这个字，上面一个屋顶，里面一条龙，多宝贝！还有，那龙会乖吗？尤其小龙，一定顽皮。能不在家造反吗？但是只要宠，就好！就能忍受，甚至享受。

连对宠物都如此。最近我儿子搬新家，贷了一大笔款，全新装潢，可是才住进去第二天，就淹了水。我去他家，进门吓一跳，看见墙上一个大洞，原来水淹进屋，他不得不把受潮的石膏板敲掉。各位猜，我儿子怎么说？他说："我这猫啊，太聪明了！它会开水龙头，把阳台的水龙头打开了。"又说，"它很会吃醋，都怪我最近搬家，冷落它了，它就生气造反。"

这也让我想起以前养了一只大鹦鹉，常常站在笼子上对我叫，还把脖子上的羽毛立起来，意思是要我为它抓痒。我过去，伸手，它就会走到我的手臂上，咕噜咕噜，有说有讲，讲着讲着，突然一低头，狠狠咬我一口。天哪！真是痛彻心肺，胳膊马上就青紫了，我气得举起手，想狠狠打它，但是手举起，又放下了，我确实可以一巴掌把它打死，但它是我的宠物，我跟谁斗气啊！它不乖，是我没教好，我该做的是好好教它，别惯坏它，或把它送去宠物店训练，而不是打它，把它打死了，伤心的是我自己啊！

打在儿身，痛在娘心（或爹心）就是这个道理。你能因为孩子不乖，就不要他、打死他、不认他吗？他是谁的孩子？是谁生的？他是你的孩子，不是别人的孩子啊！就算他确实坏，确实讨厌。天下人都避着他，每个人否定他，你能不爱他、肯定他吗？对！你也可以不肯定他，不同意他的作为，不赞成他的看法，但你要护着他、爱他！因为他是你的孩子，如果连你都不疼，还指望谁疼？所以，各位怨自己的孩子，甚至说后悔生了那孩子的父母，请想一想！你是不是错了？

也正因此，我在《世说心语——刘墉处世秘笈》中，再三说，我们要讲肯定的话，对孩子说："快下来！高处危险。"而不是骂："你想死啊？"要说："把窗子关上，别着凉了。"而不是说："你想冻感冒啊？"既然我们内心深处都爱孩子、爱家人，为什么不好话好说呢？我也提到"与其你一边炒菜一边骂孩子，或在饭桌和客厅当着人骂，何不跟孩子说，今儿晚上几点爸爸或妈妈能去你房间跟你谈谈吗？"然后，你尊重他，敲门进去，拉把椅子坐在他旁边，甚至坐在床沿，把他叫去，拉着他的手说："妈妈跟你说个知心话……"同样的话，换个方式表达，结果不是可能好很多吗？

在《世说心语2——刘墉教育秘笈》中，我不断强调，时代不一样了，二十世纪初平均寿命才五十岁，现在七八十岁，未来会上百。我们能用上一世纪对人生的规划，教新新人类照办吗？这是一个知识爆发，需要灵活反应、不断充实，否则立刻就落伍的时代。我们能用死板僵化的方法教他们吗？我也在这里分析，为什么许多孩子小时候表现得很好，却愈大愈差。可能是师长的教法不对，也可能他的长处和兴趣不在那里。注意！我绝不会否定一个人的才能，因为人各有长，可能不长在读书，却长在别的方面。可能你用这种教法，他不行；换个方法，他就比谁都强。考试绝不是人生的单行道。天生我材必有用，只要一个人肯检讨，先试着了解自己，朝自己擅长的方向去努力，而不是怯懦、犹豫、拖拉，一定能有成就。

提到拖，我要对那些怨父母的年轻朋友说：跟父母生了你一样，你“就是”他们的孩子，他们“就是”你的父母。尤其今天一胎政策下，如果你家只有你一个孩子，“他们的”就是你的，“他们”也是你的，是你的责任，是你的宝贝，你不爱他们谁爱他们？你指望别人孝顺你父母吗？请不要说你现在还小，没能力孝顺。请问要等到什么时候才有能力？等你的孩子都长大了再说吗？那时候他们都几岁了？“树欲静而风不止，子欲养而亲不待”，不是“亲不待”，不是父母不要儿女孝顺，是因为孩子拖！而当孩子有一天悔悟的时候，已经来不及了。

没有行动的爱不是真爱，无论对子女、对父母、对社会、对国家，甚至对地球。我们不仅要有爱心，更要有行动，而且现在就行动。